D0233609

Éditions Druide
1435, rue Saint-Alexandre, bureau 1040
Montréal (Québec) H3A 2G4

www.editionsdruide.com

RELIEFS

Collection dirigée par
Anne-Marie Villeneuve

DU MÊME AUTEUR

Dramaturgie

Délit de fuite, Dramaturges Éditeurs, 2002.

Le lieu invisible, essai, Galerie Dare-Dare, « Mobilité et résonances », 2000.

L'humoriste, Dramaturges Éditeurs, 1999.

La nuit où il s'est mis à chanter, Dramaturges Éditeurs, 1998.

« Les aut' mots », dans le collectif *38 I,* Dramaturges Éditeurs, 1996.

« J'bégaye pus ! », *Moebius,* n° 66, novembre 1995 ;
Contes urbains de 1994 et 1995.

Nouvelle

« L'absence », dans le collectif *Des nouvelles du père,* Québec Amérique, 2014.

Littérature jeunesse

Le secret des crânes : Les royaumes souterrains (Tome 2), La courte échelle, 2012.

Le secret des crânes : La prophétie (Tome 1), La courte échelle, 2011.

L'école des monstres, Québec Amérique, coll. « Bilbo », 2010.

Amour et Jules, Québec Amérique, coll. « Titan + », 2009.

Effrayons les monstres !, Québec Amérique, coll. « Bilbo », 2008.

Tu me feras pas peur !, Québec Amérique, coll. « Bilbo », 2008.

Les héritiers d'Ambrosius : Les catacombes du stade olympique (Tome 4), Trécarré, 2007.

Les héritiers d'Ambrosius : Le cri du chaman (Tome 3), Trécarré, 2007.

Les héritiers d'Ambrosius : Les démons de la Grande Bibliothèque (Tome 2), Trécarré, 2006.

Les héritiers d'Ambrosius : Le peuple des profondeurs (Tome 1), Trécarré, 2006.

ÉCRIRE LE MAL

Catalogage avant publication de Bibliothèque et Archives nationales du Québec et Bibliothèque et Archives Canada

Champagne, Claude, 1966-
Écrire le mal : polar
(Reliefs)

ISBN 978-2-89711-132-8
I. Titre.
II. Collection : Reliefs.
PS8555.H355E27 2014 C843'.54 C2014-941462-5
PS9555.H355E27 2014

Direction littéraire : Anne-Marie Villeneuve
Édition : Luc Roberge et Anne-Marie Villeneuve
Révision linguistique : Jocelyne Dorion et Isabelle Chartrand-Delorme
Assistance à la révision linguistique : Antidote 8
Maquette intérieure : www.annetremblay.com
Mise en pages et versions numériques : Studio C1C4
Conception graphique de la couverture : www.annetremblay.com
Photographie de l'auteur : Richmond Lam
Diffusion : Druide informatique
Relations de presse : Patricia Lamy

Les Éditions Druide remercient le Conseil des arts du Canada et la SODEC de leur soutien.

Gouvernement du Québec — Programme de crédit d'impôt pour l'édition de livres — Gestion SODEC.

ISBN papier : 978-2-89711-132-8
ISBN EPUB : 978-2-89711-133-5
ISBN PDF : 978-2-89711-134-2

Éditions Druide inc.
1435, rue Saint-Alexandre, bureau 1040
Montréal (Québec) H3A 2G4
Téléphone : 514-484-4998

Dépôt légal : 2e trimestre 2014
Bibliothèque nationale du Québec
Bibliothèque nationale du Canada

www.editionsdruide.com

Imprimé au Canada

Claude Champagne

ÉCRIRE LE MAL

Polar

Druide

On dirait qu'il y en a qui se lèvent
le matin et qui ne pensent
qu'à ça, mal faire.

Ma mère

Curieuse chose qu'un journal :
ce qu'on y tait est plus important
que ce qu'on y note.

Simone de Beauvoir

Mardi 29 juin

Je n'avais pas écrit un seul mot ou presque depuis la disparition de ma fille ni même déjà tenu un journal de ma vie. Pourtant, me voici ce soir à rédiger ces lignes, comme mon père avant de mourir. Après les événements d'aujourd'hui, ça a été plus fort que moi. Il faut que ça sorte, d'une manière ou d'une autre. Mais commençons par le début.

Mon père m'a légué son agence d'investigation, Royer Enquêtes Privées. Je ne sais pas à quoi il a pensé. Ce matin, je me suis rendu rencontrer ses deux vieux employés, Fernand Levasseur et Roger Leduc. Ça me faisait étrange de ne pas voir mon père assis à son bureau. Le tapis industriel conservait l'odeur des cigarettes qu'il avait fumées. Les murs en préfini beige étaient jaunis par la nicotine. L'endroit n'a jamais rien eu de luxueux. Les postes de travail de Roger et de Fernand se faisaient face, tandis que celui de mon père trônait à quelques pas d'écart. Une fenêtre donnait sur la rue, dont les rideaux diaphanes étaient toujours tirés, laissant filtrer la lumière du jour. Pas de plantes ou de tableaux pour agrémenter la pièce, à part un calendrier et les certificats de détective de chacun au-dessus des classeurs.

Nous avons un peu discuté, de tout et de rien, de mon père, mais je tournais autour du pot. Mon intention était de leur annoncer que j'allais vendre l'agence et que j'essaierais d'inclure une clause dans la transaction afin qu'ils ne perdent pas leur emploi. Seulement, je n'en ai pas eu le temps. Une femme est entrée, suppliant qu'on l'aide à retrouver l'assassin de son chien. Elle n'arrêtait pas de gesticuler. J'aurais éclaté de rire si elle n'avait pas paru aussi bouleversée. Ses larmes donnaient l'impression de creuser des tranchées sur son visage ridé. Elle devait avoir dans la soixantaine, ses cheveux courts étaient bouclés, plus sel que poivre. Sa tête était coiffée d'un large chapeau de paille. Elle portait une robe bleue, décorée de fins motifs blancs, qui laissait voir ses bras et ses jambes maigres. Son corps menu flottait dans sa robe trop grande. Le contraste accentuait sa fragilité.

— Asseyez-vous…, lui dit Roger, comme s'il la connaissait.

À voir la façon dont Roger réagissait, j'ai songé qu'il s'agissait peut-être de la folle du quartier, le genre qui se présente chaque jour avec un nouveau drame imaginaire.

— Pauvre chien, soupira Fernand. Qu'est-ce qui lui est arrivé, Lucette ?

La femme se tut. Elle étira le bras pour s'emparer de la boîte de mouchoirs sur le bureau de Roger et se moucha si fort que c'en fut presque comique. La description de la découverte de son chien vint toutefois m'enlever l'envie de rire.

— Je croyais qu'il s'était sauvé. Il n'était plus dans la cour. Je le laisse jouer l'avant-midi et… Je l'ai cherché. Je pensais l'avoir perdu. Mais… Il était planté sur un arbre, vous comprenez ? Les quatre pattes traversées par des gros clous. Son ventre était ouvert, ses tripes en sortaient. Il y avait du sang partout qui dégoulinait. Ses oreilles avaient été coupées, ses yeux transpercés…

Nous étions sans mots.

Après un moment de silence, Roger a pris la parole.

— Où l'avez-vous trouvé exactement ?
— Dans le petit bois. Vous savez, celui où les jeunes traînent ?
— Oui.
— Vous avez des raisons de penser que c'est l'un d'eux ? demandai-je.
— Je ne sais pas… Qui peut avoir l'idée de mutiler un animal sans défense ?
— Fernand, tu peux t'occuper de Lucette pendant que Jean et moi allons voir la scène de crime.
— Moi ? m'étonnai-je.
— Faut bien que tu saches de quoi t'as hérité, non ?

J'imagine que la plupart des gens n'éprouvent pas le désir d'« admirer » l'œuvre d'un malade du couteau. Je croyais faire aussi partie de ces gens jusqu'à ce que je ressente une espèce de curiosité morbide. En fait, c'est l'écrivain en moi qui souhaitait s'y rendre, comme si ce charognard n'en avait jamais assez de se nourrir du malheur des autres. Avant, je l'excusais souvent en racontant l'histoire de ce célèbre acteur qui, le jour des funérailles de sa mère, avait affirmé que cette émotion allait un jour lui servir pour un rôle. Mon vautour sommeillait depuis six ans et il venait d'ouvrir un œil.

Roger Leduc est un type particulier. Chaque fois que je songe à lui, je me le représente dans son appartement, un bunker hyper bien rangé, truffé de caméras de surveillance. Quelque chose à avoir avec son visage dur, son regard suspicieux et ses cheveux trop bien lissés sur le côté. J'ai probablement trop d'imagination.

Nous roulions depuis un moment sans échanger un mot. Je regardais dehors. Je jouais avec ma ceinture de sécurité. J'ai allumé la radio.
— Elle fonctionne pas.
Je ne comprenais pas sa soudaine hostilité.

— Je sais que tu veux vendre l'agence. C'est à Fernand et moi qu'elle aurait dû revenir.

— …

— Je connais le notaire de ton père.

— Pourquoi vous en avez pas parlé tantôt ?

— Parce que… Parce que ça me fait chier et que Fernand est pas au courant. Il est jamais au courant de rien, mais bon.

Le premier souvenir que j'ai de Fernand Levasseur remonte à mon enfance. Il était venu peinturer la chambre de mes parents. Ma mère m'avait averti de ne pas le déranger, mais ça avait été plus fort que moi. Il fallait au moins que je le voie. Quand j'ai étiré le cou au-delà du cadre de porte, j'ai aperçu un monstre de chair difforme. Enfin, c'est comme ça que ma tête d'enfant le percevait. La cigarette au coin du bec, il respirait avec difficulté. Des gouttes de sueur perlaient de son crâne dégarni et ruisselaient sur les multiples plis de sa nuque. Son chandail blanc était trempé par endroits et flottait sur son énorme ventre, dévoilant son nombril. On aurait dit que son corps n'était constitué que d'une seule grosse et grasse pièce. Pour moi, il avait l'air d'un ogre. Fernand n'aurait toutefois jamais fait de mal à une mouche. Il aurait peut-être dû. Malgré une vie de railleries, il avait le cœur sur la main. Il aurait d'ailleurs fait n'importe quoi pour mon père, le seul à lui avoir donné sa chance.

— Si je vends l'agence, je vais m'arranger pour que vous conserviez vos emplois.

— Ouais…

Roger ne semblait pas convaincu, et, à vrai dire, moi non plus. Si un acheteur se présentait et qu'il refusait de garder les deux hommes, je ne voyais pas vraiment comment je pourrais décliner son offre.

Roger a stationné la voiture au coin d'une rue, juste devant l'entrée du petit bois où Lucette disait avoir trouvé le cadavre de son chien. L'endroit paraissait fréquenté, car une brèche à travers la végétation s'était formée au fil des pas de randonneurs, créant un sentier où plus rien ne poussait. En s'enfonçant dans le boisé, on découvrait d'autres chemins semblables qui se croisaient, à l'abri des regards des passants. Je ne savais pas quelle direction prendre. Roger a remarqué une tache rouge par terre.

— C'est du sang, indiqua-t-il. Et plutôt frais.

— Là, il y en a encore.

Nous eûmes tôt fait de remonter la piste vers le premier cadavre, sans doute le chien de Lucette, selon la description qu'elle nous en avait faite. Je dis « premier », car un peu plus loin, nous en avons trouvé d'autres dans des positions semblables. J'imagine que Lucette ne s'était pas aventurée plus loin après avoir trouvé son petit chéri. Plus j'avançais, plus l'horreur me prenait aux tripes. Des chats, des chiens, des oiseaux…, tous accrochés à un arbre et le ventre ouvert, des membres sectionnés. Ce n'était pas l'œuvre d'un spécialiste, taxidermiste ou chirurgien. Les animaux étaient cloués n'importe comment, sans une once de circonspection. Les incisions n'étaient pas fines ou précises. Il s'agissait plutôt de l'expression d'un enragé. On le devinait en observant la taille des blessures laissées par la lame du couteau.

— Quelqu'un en avait gros sur le cœur et s'est vengé sur ces bêtes, lança Roger, brisant le silence.

— Un camp de vacances pour futurs tueurs en série…

— J'oubliais.

— Quoi ?

— T'es écrivain.

— Pourquoi vous dites ça ?

— Pour rien. J'aime ta formule : camp de vacances pour futurs tueurs en série.

— Dans ce cas-ci, la réalité dépasse un peu trop la fiction à mon goût.

Roger sortit son téléphone portable et composa le 9-1-1.

— Qu'est-ce que vous faites ?

— J'appelle la police.

— Vous allez leur refiler l'enquête ?!

— L'enquête ? Quelle enquête ? s'étonna Roger. Lucette a perdu son chien, on l'a retrouvé.

— Vous chercherez pas à savoir qui a fait ça ?

Roger m'empoigna soudainement par le collet et me plaqua le dos contre un arbre.

— C'est pas parce que tu viens d'hériter de l'agence de ton père que tu vas me montrer comment faire ma job !

— Je voulais rien insinuer…

Je sentais la dépouille sanguinolente d'un chien dans mon dos.

Roger me lâcha.

— Je m'excuse… Je suis un peu sur les nerfs, ces temps-ci.

— Je comprends… Je m'excuse, moi aussi. C'est la première fois que je me retrouve sur une scène de crime.

— Tu trouves ça excitant, hein.

Je n'avais jamais éprouvé un tel rush d'adrénaline. Connaître l'identité du malade qui avait perpétré ces atrocités m'obsédait. Un désaxé semblable avait peut-être enlevé ma fille, six ans plus tôt. Je souhaitais me retrouver en face de lui, voir dans ses yeux sa démence. Et sentir en moi l'envie de lui faire mal…

— Désolé pour le sang sur ton chandail, Jean.

— Ça me fera un souvenir… Vous avez un appareil photo dans l'auto ?

— Tu veux te prendre en photo ?

— Non, je veux savoir qui a torturé ces animaux.

— Tu veux vraiment enquêter là-dessus, toi ?

— Ça m'intéresse, oui.

Roger eut l'air déçu.

— C'est toi le patron…

Pendant plusieurs minutes, le monde n'exista plus qu'à travers le viseur de l'appareil photo numérique. Je pris nombre de gros plans de plaies béantes qui auraient dû me révulser en temps normal. Puis, je découvris qu'un des chiens, un berger allemand, portait une médaille avec son nom, Zorro, et le numéro de téléphone de son propriétaire. Ce n'était pas une piste à proprement parler, mais qui sait quelles informations nous pourrions recueillir en interrogeant le maître de l'animal et ses voisins ?

Mercredi 30 juin

J'ai joué au détective une bonne partie de la journée. Ça fait changement d'écrire tout seul devant son écran d'ordinateur ou de courir les lancements de livres de gens qu'on ne connaît pas. Je dis ça au présent, mais je devrais le mettre au passé. Au passé lointain. Je n'aimais pas cette vie.

J'ai toujours été plutôt solitaire, mais la solitude, c'est autre chose. Quand on est solitaire, on peut décider à tout moment de fréquenter du monde. La solitude, c'est lorsque personne ne désire te voir. Ça m'est arrivé peu après la disparition de Charlotte. Avant, j'étais le type drôle qu'on invitait dans des soirées pour mettre de l'ambiance. Je blaguais tout le temps, toujours une connerie à dire ou à faire. On ne s'emmerdait pas avec moi, même si moi, je m'ennuyais souvent avec moi-même. Je campais un personnage, celui qu'on attendait. Quand Charlotte a disparu, mes « amis » en ont profité pour en faire autant. Eux aussi interprétaient des rôles, semble-t-il. Lorsque je me pointais à un lancement, des murmures accompagnaient mon arrivée : « C'est lui, le gars dont la fille... » J'avais droit aux sourires figés de circonstance et autres formules de politesse. Ma renommée n'était plus littéraire, si, par chance, elle l'avait déjà été.

Ça a pris du temps avant que je me rende compte que j'avais cessé de même penser à écrire. D'habitude, j'avais toujours un ou plusieurs projets en tête. Ne dérangez pas l'écrivain qui somnole, il travaille, dit-on. Là, je ne dormais plus. Et quand je sommeillais durant le jour, c'était par épuisement. Mon imagination ne servait plus qu'à une chose : inventer les pires et les moins pires scénarios au sujet de ma fille. Avant, elle habitait avec moi une semaine sur deux. Après, elle m'habitait constamment.

J'avais demandé à mon père de m'aider à retrouver Charlotte. Il a tenté de me faire comprendre qu'il valait mieux laisser la police faire son travail. Je lui en ai tellement voulu. On ne s'est plus parlé ou presque jusqu'à son récent séjour à l'hôpital. Jusqu'à son dernier souffle, il ne m'a pas informé qu'il me léguait son agence d'investigation. Peut-être qu'il ne souhaitait pas vivre une ultime déception avant de mourir. Il ne me l'avait jamais dit en mots clairs, mais quand il avait su que je m'étais inscrit en Arts et Lettres au cégep, sa réaction avait été assez transparente : « Tu vas pas étudier en administration ? » Je suppose qu'il espérait que je reprendrais le flambeau.

Depuis hier, j'ai l'impression d'accomplir les dernières volontés de mon père. Je me suis lancé tête baissée dans cette enquête d'animaux mutilés. Où cela me mènera-t-il ? Aucune idée. Pour l'instant, ça me redonne le goût d'écrire. Qu'adviendra-t-il de ce journal ? Peu importe. Reprendre contact avec le clavier me fait du bien, même si c'est pour parler du mal.

Ce matin, j'ai téléphoné au numéro inscrit sur la médaille accrochée à l'un des chiens du petit bois des horreurs. Je n'ai pas mentionné dans quel état j'avais retrouvé l'animal. L'homme était trop heureux. Quand je me suis présenté à son domicile, j'ai bien remarqué son étonnement de ne pas me voir accompagné de son fidèle compagnon.

— Vous l'avez pas emmené ?

— Est-ce qu'on pourrait s'asseoir pour en parler ?

— Vous voulez une récompense ?

— Il s'agit pas de ça.

— Mais de quoi, sinon ?

Une lueur de panique traversa ses yeux, mais se transforma vite en regard inquisiteur. J'avais l'impression qu'il fouillait jusqu'au plus profond de moi. L'homme était dans la soixantaine, peut-être un retraité. Sa poignée de main avait été ferme, franche. Il avait insisté juste assez pour me faire comprendre qu'il n'était pas du genre à se laisser marcher sur les pieds. Il me dépassait d'une tête et il avait la carrure d'un videur de bar. J'avais la gorge nouée.

— Votre chien est mort.

— Je m'en doutais…

Sa réaction me surprit.

— Plusieurs chiens ont disparu dernièrement dans le quartier, ajouta-t-il. J'en ai parlé à mes anciens collègues, mais ils ont pas pris ça au sérieux.

— Vous étiez flic, monsieur… ?

— Marcel Deschamps. Oui. Je m'occupais de la brigade canine. Zorro faisait équipe avec moi. Il en avait plus pour longtemps, alors je l'ai adopté. Mais j'aurais pas pensé que…

Il ne termina pas sa phrase. D'un geste, il m'invita à l'intérieur.

Je pénétrai dans un véritable temple canin. Partout sur les murs du salon il y avait des photos de chiens policiers. Des souvenirs de saisies de drogues et autres trucs du genre. Sur la plupart des clichés, Marcel Deschamps apparaissait, à des âges différents, en compagnie de Zorro ou d'un de ses semblables.

— Comment il est mort ? me demanda-t-il en s'asseyant dans un fauteuil près de la cheminée.

Je n'avais pas le courage de lui décrire la scène en détail.

— Le mieux est peut-être que je vous montre des photos, ai-je dit en sortant l'appareil de mon sac.

Comme il avait été policier, je m'étais imaginé qu'il avait sûrement vu des choses plus atroces au cours de sa carrière et qu'il pourrait encaisser. Après quelques secondes, il déposa l'appareil. Il regarda dans le vide pendant un moment, puis jeta un œil aux souvenirs sur le mur.

— J'ai toujours pris bien soin des chiens avec lesquels j'ai travaillé. Ils sont tous morts de vieillesse, lâcha-t-il comme pour lui-même.

— Avez-vous déjà entendu parler d'une affaire similaire ?

— Personne fait attention aux crimes contre les animaux. On a qu'à se promener dans les rues pour voir le nombre d'affiches de chiens et de chats perdus. Ils disparaissent pas tous d'eux-mêmes…

— Là où nous avons trouvé votre chien, il y avait aussi des chats, même des oiseaux.

— Un malade…

— Est-ce que vous connaissez une femme du nom de Lucette Desrosiers ?

— Oui, elle a un petit chien gris. Un schnauzer. Je la croise parfois au parc.

— Son chien aussi était du lot.

— Pauvre elle… Depuis le décès de son mari, elle avait personne d'autre.

— Avez-vous une idée de qui aurait pu commettre ces atrocités ?

— Si je le savais, y a longtemps que je lui aurais réglé son compte, me répondit-il brutalement.

— Oui, sans doute… Mais vous avez rien remarqué, un rôdeur… ?

— Écoute, mon gars, c'est gentil à toi de t'être déplacé, mais c'est pas un détective amateur qui va venir chez nous me montrer comment faire mon métier.

Son brusque changement de ton m'étonna.

— Je voulais seulement vous aider, plaidai-je.

— Une autre fois…

Sur ce, il se leva et, sans plus de politesse, il ouvrit la porte.

— Si vous entendez ou voyez quelque chose, appelez-moi, risquai-je avant de partir.

— Ouais…

Une fois sorti, je téléphonai à Roger et je l'informai de mon entretien pas très fructueux avec Marcel Deschamps.

— Je t'avais dit que ça servirait pas à grand-chose.

— Oui, bon…

— Et en plus, un ancien flic… Ceux-là, il faut les flatter dans le sens du poil. Pour lui, les détectives, ça vaut rien. Imagine s'il décide de mener sa propre enquête. On va se retrouver dans une situation où trop de personnes posent trop de questions. Tu connais pas assez ça, Jean. Là, ça risque de venir aux oreilles du tueur et il va s'envoler.

— Ouais… Vous avez peut-être raison. À moins que…

— À moins que quoi ? s'impatienta Roger.

— Je vous rappelle.

Je retournai sonner chez l'ex-flic avec une idée en tête. J'allais à la pêche.

J'aperçus les rideaux du salon qui bougeaient. Pendant un moment, j'ai songé qu'en me voyant revenir à la charge il ne m'ouvrirait pas.

— Qu'est-ce que tu veux encore ?

— Rassurez-vous, ç'a pas rapport avec l'enquête.

— « L'enquête », oui…, répéta-t-il sur un ton narquois.

— J'ai oublié de vous demander une chose. Comme vous êtes un expert des chiens, et que j'ai justement envie de m'en procurer un, j'ai pensé que…

— Tu as pensé quoi ?

— Bien, que vous pourriez me donner des conseils. Vous connaissez sans doute le meilleur endroit où en acheter un.

— Ben oui…

— Je suis sérieux.
— Pourquoi tu voudrais un chien ?
— Parce que… Parce que ma fille en a toujours désiré un.
— En quoi ça me concerne ?
— Ma fille est disparue depuis des années.
— Je comprends… Entre.

Jeudi 1er juillet

J'ai demandé à Fernand et Roger de poursuivre l'enquête de leur côté. Ils sont allés chez Lucette et y ont constaté que la clôture de la cour ne comportait aucun trou par lequel Balou, son chien, aurait pu s'échapper. Le tueur ne ramassait donc pas des animaux errants, il les choisissait. Il nous restait par conséquent à déterminer s'il agissait au hasard ou si ces enlèvements étaient planifiés.

Marcel Deschamps avait eu raison. Quand Roger a appelé au poste de police pour signaler le mini-camp de la mort dans le boisé, son interlocuteur n'a pas eu l'air impressionné. La situation était préoccupante, selon le sergent à qui Roger avait parlé, mais tant que les victimes n'étaient pas des êtres humains, son service ne pouvait pas faire grand-chose. Accompagnés de Roger, deux patrouilleurs étaient venus sur les lieux pour vérifier ses dires. La police a eu tôt fait de refiler le dossier à la Société de protection des animaux. Ses employés ont nettoyé le petit bois des cadavres. L'affaire était close.

Un journaliste s'est néanmoins intéressé à la tuerie. Il a téléphoné au bureau et a demandé s'il existait des photos des carcasses, sanglantes de préférence. Roger a jugé que ce n'était pas une bonne idée de faire circuler ces images. Il a prétendu qu'on ne possédait aucune photo. Le journaliste a rétorqué que son

« contact » lui avait pourtant affirmé le contraire. « On vous a mal renseigné », lui a répondu Roger. L'article a néanmoins paru, mais avec des illustrations. C'est bien la première fois que mon nom apparaît dans un quotidien sans qu'il soit question d'un de mes livres.

Officiellement, l'agence avait été engagée par Lucette Desrosiers pour trouver le coupable. Il y avait quelque chose de ridicule dans l'idée de pourchasser le tueur du chien d'une vieille dame. Mais, de mon côté, c'est autre chose que je poursuivais…

Hier, dès que j'ai mentionné ma fille disparue à Marcel Deschamps, son attitude a changé. Le policier en lui avait deviné ce qui me préoccupait réellement dans cette histoire. Assis au salon, au milieu de ses photos de chiens, il m'a posé plusieurs questions.

— Ça s'est produit il y a combien de temps ?

— Six ans.

— Six ans !

— Oui…

— Tu espères encore ?

— Ça dépend des jours. Il m'arrive de la voir.

— Comme un fantôme ?

— Parfois, je suis assis sur son lit et elle apparaît.

— …

— La plupart du temps, elle prononce pas un mot. Elle me regarde, l'air triste.

— Quand elle te parle, qu'est-ce qu'elle raconte ?

— Je sais que c'est juste mon imagination.

— Désolé de te demander ça, mais… Tu penses qu'elle est morte ?

— Vous croyez que son fantôme me visite ?

— À toi de me le dire.

— Je voudrais pas que ce soit le cas.

— Donc, pour toi, il y a une chance qu'elle soit encore en vie ?

— L'espoir fait vivre, comme on dit.

Cette conversation était vite devenue un peu surréaliste. Je n'avais relaté à personne mes hallucinations. Je n'aurais jamais non plus pensé qu'un jour je déballerais mon sac à un vieux policier. Son ouverture d'esprit m'avait surpris. Il ne me jugeait pas. Du moins, il n'en laissait rien paraître. Peut-être était-ce dû à l'habitude de ne négliger aucun détail au cours d'une enquête, aussi incroyable fût-il.

— Comment est-ce arrivé ?

— Un soir, elle est pas rentrée.

— Elle était partie seule ? Avec des amis ?

— Elle est pas revenue après l'école.

— Avais-tu une bonne relation avec ta fille ?

— Oui, nous étions très proches, malgré qu'elle habitait chez moi seulement une semaine sur deux.

— Tu penses pas que de te procurer un chien en mémoire de ta fille, ça risque de te faire plus de mal que de bien ?

Au départ, j'étais convaincu d'avoir lancé cette phrase comme excuse pour flatter, sinon amadouer l'expert canin.

— Je vis seul depuis des années. Un peu de compagnie me ferait pas de tort, je suppose.

Marcel Deschamps m'a conduit chez un ami éleveur de chiens. Je ne me souviens plus de la dernière fois que je suis sorti de la ville. Les paysages de vallons, suivis de forêts, puis de prés où des vaches broutaient défilaient. J'avais baissé la vitre de la portière et le vent me fouettait le visage, amenant avec lui les odeurs de la campagne. Seul le bruit du moteur de la voiture rompait mon illusion de liberté.

Nous avons un peu discuté durant le trajet. Je sentais que Marcel Deschamps prenait des notes à mon sujet. Il m'a demandé des précisions à propos du travail des policiers concernant la disparition de Charlotte. Il n'y avait pas grand-chose à en dire.

Je lui ai donné le nom des enquêteurs. Pour eux, il ne s'agissait que d'un cas parmi tant d'autres. Au début, je leur téléphonais régulièrement pour obtenir des nouvelles de la progression de leurs recherches. Ils étaient souvent débordés, j'ai peu à peu cessé de m'enquérir auprès d'eux. J'avais aussi tenté de mener ma propre enquête. Après avoir questionné tous les amis de Charlotte et fait le tour des résidents du coin, je n'étais pas plus avancé que la police. Personne n'avait rien vu. C'était presque comme si elle n'avait jamais existé.

Malgré tout, je n'avais pas voulu me décourager. J'avais posé des affiches avec la photo de ma fille un peu partout. Ça me troublait lorsque j'arrivais à un endroit et que je constatais que j'en avais déjà mis une, des semaines, des mois avant. Voir son visage sali, déchiré par les intempéries, par le temps qui passe…

En arrivant, nous avons vu l'éleveur sortir de sa maison, comme s'il nous attendait. Pourtant, Marcel Deschamps ne l'avait pas prévenu. Il avait affirmé que Lucien Jeanson ne quittait à peu près jamais sa fermette.

— Ah ben ! Marcel Deschamps ! Que me vaut l'honneur ?

— Mon ami aimerait avoir un bon chien.

Lucien s'approcha pour me serrer la main.

— Enchanté. Moi, c'est Lucien.

— Jean, répondis-je.

— Quelle sorte de chien ?

— J'ai pas de préférence.

— Comme Marcel dit : un bon chien, hein !

— Oui, c'est ça.

Lucien Jeanson avait un sourire franc. Il avait l'air d'un bon vivant. Son gros ventre saillait sous sa vieille salopette, mais sa casquette de travers lui conférait un côté juvénile, malgré son âge avancé. Je me pris à penser que cet homme n'avait jamais connu de malheur de sa vie, et que si, par ailleurs, cela lui arrivait, il s'en moquerait comme d'une mauvaise blague. Je l'enviai.

— J'élève pas de chiens de race, par exemple. Je crois pas à ça, moi, les chiens purs. Ça traîne des maladies de génération en génération. Rien de mieux qu'un bon bâtard ben mélangé !

Il nous entraîna derrière sa maison, là où plusieurs chiens s'amusaient entre eux dans un vaste espace entouré d'une clôture.

— La nuit, je les rentre dans la grange. Le jour, ils jouent. Ces chiens-là sont bien traités, c'est moi qui vous le dis. Quand j'ai des portées, j'isole les petits dans l'autre enclos. La mère a besoin de courir pour être heureuse et bien s'occuper de sa progéniture. Mais j'ai pas de chiots pour le moment.

Cette fermette me donnait envie de croire en la réincarnation et de revenir sur terre sous la forme d'un chien.

— Vous élevez seul tous ces chiens ? lui demandai-je.

— Parle-moi z'en pas… C'est pas facile de garder des employés. J'engage souvent des jeunes. Y en a qui restent plus longtemps que d'autres. L'avant-dernier a travaillé deux ans avec moi. Mais le dernier… Avoir su…

— Avoir su quoi, Lucien ? s'inquiéta Marcel Deschamps.

— Je devrais pas vous raconter ça. Mais je vous jure que les autres chiens ont pas souffert.

— Qu'est-ce que tu veux dire ?

— Un matin, je le cherchais, et je l'ai retrouvé plus loin, au fond, dans la forêt. Il avait tué un chien. Mais rendu là, on appelle plus ça tuer. Il était en train de le découper en morceaux. J'ai le goût de vomir rien que d'y repenser.

Marcel Deschamps et moi nous sommes regardés. Einstein prétendait que Dieu (s'Il existe) ne joue pas aux dés. Là, je me demandais à quoi Il s'amusait…

Vendredi 2 juillet

J'ai toujours eu peur de la mort. Je me souviens, quand j'étais petit, d'être allé au salon funéraire, dans un village. Un de mes oncles était décédé. À part un de mes cousins, j'étais le seul enfant dans la salle. J'observais le cercueil de loin, n'osant pas m'approcher de ce corps silencieux. Je fixais les gens qui s'agenouillaient devant la dépouille. Certains lui caressaient la main, d'autres touchaient son front. J'étais à la fois apeuré et fasciné. Ma mère avait remarqué mon malaise. « Viens, on va aller voir ton oncle. » Pas très rassuré, j'ai fait comme elle, je me suis approché. De près, l'oncle, que je connaissais à peine, avait l'air d'une statue de cire. J'avais envie de poser un doigt sur ces joues crémeuses, même que ma mère m'y encourageait. Elle me prit le poignet et guida ma main. Derrière nous, j'entendis des murmures de désapprobation. Tournant la tête, j'aperçus des visages de femmes offusquées. « Laisse-les faire… » Ma mère me disait souvent que la curiosité était un signe d'intelligence.

Plus tard, mon cousin et moi ne savions plus quoi faire de notre peau. Nous avons commencé à courir, à nous amuser. À agir comme des enfants, quoi. Le croque-mort du village est alors intervenu. « Ça vous tenterait de voir où on embaume les défunts ? » Deux garçons à la fois craintifs et excités n'en croyaient pas leurs oreilles. L'homme nous a entraînés derrière un rideau, comme un magicien qui allait nous dévoiler ses trucs. Puis, il a sorti un gros trousseau de clés pour déverrouiller une porte sur laquelle était fixé un écriteau : « Réservé aux employés ». Une sensation d'interdit flottait dans l'air. Nous avons pénétré dans une petite salle blanche, éclairée de tubes néon qui grésillaient. Au centre de la pièce, il y avait deux civières métalliques sur roulettes. Sur l'une d'elles, on ne pouvait manquer de distinguer la présence d'un cadavre sous un drap blanc. J'essayai de ne pas y prêter attention. Le croque-mort nous désigna les réfrigérateurs où il entreposait les morts. Il en ouvrit un. Je retins mon souffle. Il était vide. J'espérais que l'embaumeur n'allait pas soulever le drap. Un sourire naquit sur son visage, comme s'il avait lu dans mes pensées. Ensuite...

Ensuite, je ne me souviens plus. C'est flou. Tellement que, parfois, je me demande si cet épisode lointain s'est réellement produit, si je n'en ai pas oublié ou simplement inventé des bouts.

C'est un peu comme ça que je me sens aujourd'hui, après avoir passé les derniers jours à patauger dans la mort. Après que Lucien Jeanson nous ait parlé de son « maniaque », les choses ont déboulé très vite. Sur le coup, il n'a pas compris notre intérêt, mais une fois mis au courant des récents événements, il a évidemment lui aussi fait le lien. Son histoire remontait à environ deux mois. Avant ça, jamais il n'aurait pu se douter de quoi que ce soit. Son employé avait un profil particulier, mais pas de là à donner à penser qu'il s'agissait d'un malade. Il venait d'une famille aisée. Il avait eu des problèmes de comportement en milieu scolaire. Ses parents l'avaient inscrit dans un programme d'aide et c'est ainsi qu'il s'était retrouvé à travailler avec Lucien Jeanson, qui avait été sensible à la détresse du jeune homme. Lui-même était passé par une école de réforme.

Quand Marcel Deschamps lui a demandé s'il avait les coordonnées de son ancien employé, Lucien Jeanson s'est montré embarrassé. Il n'était pas du genre paperasse. Il fonctionnait plutôt au noir, pour ainsi dire. Il avait cru le gars sur parole.

Nous n'étions pas plus avancés. Selon Marcel Deschamps, le jeune avait très bien pu s'inventer une personnalité atypique pour amadouer Lucien Jeanson. Nous n'avions qu'un nom : Sébastien Marchand. Probablement une fausse identité, toujours selon l'ancien policier. Pas de photo, mais une description : taille moyenne, crâne rasé, yeux bruns ; aucun signe distinctif, sinon, peut-être, une cicatrice. Lucien Jeanson avait cru voir une lacération sur le dos de sa main gauche quand il l'avait découvert en train de massacrer le chien. À moins que ce ne fût une morsure, il n'en était pas certain. Il y avait beaucoup de sang.

Marcel Deschamps a demandé à visiter la chambre de ce Sébastien Marchand et s'est informé s'il n'avait pas laissé d'effets personnels.

— Désolé, j'ai brûlé toutes ses affaires, répondit Lucien Jeanson. Mais croyez-moi, ç'a pas été un feu de joie.

Une chose me tracassait.

— Pourquoi vous avez pas appelé la police ?

— Je me pose la question depuis qu'il est parti ! J'étais tellement en colère. Tout ce que je voulais, c'était qu'il débarrasse le plancher. J'avais honte de m'être laissé avoir. J'en ai parlé à la S.Q. au village, quelques jours après, en allant faire mes commissions. C'était un peu tard… Je sais.

Avant de monter dans sa voiture, Marcel Deschamps a téléphoné à un ancien collègue afin de vérifier si un Sébastien Marchand n'avait pas un dossier, au cas où il aurait donné sa véritable identité à Lucien Jeanson. Il y avait effectivement un individu suspect fiché à ce nom, mais le portrait ne correspondait pas. Un jeune punk à la chevelure rouge avait coupé l'oreille d'un itinérant il y a un mois et était en attente de son procès. Il avait été libéré sous caution.

— Ça vaut la peine d'aller le rencontrer, dis-je. Il a pu se faire pousser les cheveux depuis.

— Si c'est lui, il nous avouera pas ses crimes…

— Non, mais on peut au moins le prendre en photo et la montrer à Lucien Jeanson.

— Pas fou.

— Et qui sait comment il réagira si on le confronte.

— T'es sûr que t'es juste écrivain, toi ?

En fin d'après-midi, Marcel Deschamps et moi sommes allés faire du camping, comme il disait, devant la résidence de Sébastien Marchand. Ma première intention était de sonner à la porte, mais l'ancien policier m'a avisé que ça ne se faisait pas. Nous n'avons pas le droit de nous présenter au domicile de quelqu'un et de le prendre en photo, paraît-il. Il valait mieux attendre que notre suspect sorte et ensuite le suivre. Nous aurions ainsi tout le loisir de le photographier sans qu'il s'en aperçoive. Il a aussi argué que notre filature nous donnerait peut-être plus d'informations et, qui sait, nous permettrait de le surprendre à kidnapper un animal.

Marcel Deschamps avait stationné sa voiture au coin de la rue, à quelques pâtés de maisons de la demeure du présumé meurtrier. Il s'agissait en fait de l'adresse de ses parents. Le collègue de Marcel Deschamps lui avait entre-temps envoyé par courriel le dossier du jeune homme. L'incident de l'oreille tranchée n'était pas son premier délit. Il avait auparavant été pris dans une piquerie. Les policiers avaient saisi une petite quantité de drogue sur lui. Le dossier comprenait aussi quelques coupures de presse dont la plupart portaient sur l'agression de l'itinérant. L'accusé avait comparu en cour et son interrogatoire sur vidéo avait été présenté. En résumé, ce soir-là, Sébastien Marchand devait se rendre au cinéma avec ses parents, mais il a changé d'idée à la dernière minute. Son père et sa mère ont tout de même assisté à la projection, laissant leur fils devant les portes de l'établissement.

Celui-ci, au lieu de retourner à la maison, est allé se balader dans le centre-ville. Il s'est retrouvé dans un parc, où il s'est procuré de quoi s'intoxiquer. C'est là qu'une dispute aurait éclaté entre lui et l'itinérant. Sébastien Marchand a raconté aux policiers que tout s'était passé très vite, en quelques secondes selon lui. Il a ouvert les yeux pour constater que ses mains étaient pleines de sang et qu'une oreille gisait dans la paume de sa main gauche. Fait étrange, il a conservé l'oreille et s'est enfui en laissant tomber son canif sur place. De retour chez ses parents, il s'est lavé les mains et se préparait à manger quand son père et sa mère sont rentrés. Nerveux, il a montré son butin de la soirée à son père, qui n'en croyait pas ses yeux. Celui-ci a d'abord pensé à une blague, mais, devant la réalité, il a décidé de conduire son fils au poste de police. Sébastien Marchand n'a pas voulu affronter les policiers et est resté dans la salle d'attente. Comme une patrouille avait plus tôt signalé un blessé au parc où le jeune avait avoué s'en être pris à un sans-abri, les policiers sont aussitôt sortis du bureau pour aller cueillir l'auteur du crime. En les apercevant, Sébastien Marchand a choisi la fuite, mais il a été rapidement rattrapé. Tout au long de son interrogatoire, il a prétendu ne pas savoir ce qui était arrivé. Un *blackout* de quelques secondes. Il ne conservait aucun souvenir de son attaque, sinon l'oreille. Il ignorait pourquoi il l'avait rangé dans la poche de sa veste.

— Un peu plus et on pourrait croire qu'il a été possédé par un esprit malin au moment de commettre son crime, ai-je dit.

— Ce genre d'explication est plus fréquent qu'on pense, surtout chez les drogués aux prises avec des troubles mentaux. Les schizophrènes, par exemple, affirment entendre des voix qui les poussent à tuer, souvent au nom de Dieu ou du diable. Les délires religieux sont monnaie courante dans la rue. Les malades oublient de prendre leurs médicaments ou cessent leur traitement, se croyant guéris. Ils sont touchés par la grâce… à laquelle ils peuvent pas désobéir.

— Mais Marchand a pas évoqué qu'il entendait des voix dans sa tête.

— Qui sait ce qu'il y a dans la tête des gens…

Nous campions non loin de la maison des parents de Sébastien Marchand depuis plusieurs heures et nous n'avions toujours pas noté de signes de vie. Nous commencions à avoir faim, l'heure du souper était passée depuis un moment. Marcel Deschamps a proposé qu'on aille chercher un repas et qu'on le mange dans la voiture, à notre poste d'observation.

— Vous trouvez pas ça bizarre, qu'il y ait pas au moins de la lumière ? Il fait quand même un peu noir.

— Ils sont peut-être absents.

— Mais l'auto dans l'entrée de garage ?

— Ils en possèdent une deuxième ?

— Ouais, possible.

Néanmoins, je n'étais pas convaincu. J'ai décidé qu'il était temps d'être plus proactif.

— Où tu vas ? m'a demandé Marcel Deschamps alors que j'ouvrais la portière.

— Il faut que j'en aie le cœur net.

— Attends !

Je ne l'ai pas écouté et suis allé sonner à la porte des Marchand. Marcel Deschamps a eu tôt fait de me rejoindre. Personne ne venait répondre. J'essayais de voir ce qui se passait à l'intérieur à travers la petite fenêtre givrée de la porte.

— Tu vois, y a pas âme qui vive.

Marcel Deschamps avait on ne peut plus raison, seulement il ne le savait pas encore.

J'ai alors tourné la poignée. Ce n'était pas verrouillé.

— On va quand même pas entrer ! a supplié Marcel Deschamps. C'est illégal !

C'était plus fort que moi. J'ai poussé la porte.

— Y a quelqu'un ? ai-je crié.

— Viens, on a rien à faire ici.

— Restez dehors si vous voulez, ai-je dit en m'avançant dans le vestibule.

J'ai tendu le cou à gauche, vers le salon, puis j'ai regardé vers le fond du couloir où semblait être la cuisine. La maison paraissait déserte. À droite, mon œil a été attiré par une tache longiligne sur le mur de la pièce. J'ai fait quelques pas pour mieux distinguer. Puis, j'ai vu l'origine de la marque. Je suis resté planté là, incapable d'aller plus loin.

— Qu'est-ce qu'il y a ? m'a lancé Marcel Deschamps.

Comme je ne répondais pas, il est venu me rejoindre. À son tour, il a pu « apprécier » le spectacle… Trois personnes gisaient dans leur sang.

Samedi 3 juillet

J'ai fait des cauchemars toute la nuit. Enfin, les moments où je n'étais pas éveillé. Et quand je me suis décidé à m'extirper de mon lit, le reste de ma journée a été passablement agité. Depuis un peu plus d'un an, je prends des médicaments pour calmer mes crises de panique. J'ai attendu des années avant de consulter. Je me suis souvent ramassé aux urgences, craignant le pire. On me refilait des Ativan pour quelques jours. Il aura fallu que je craque complètement pour me résoudre à voir un médecin, qui m'a ensuite dirigé vers un psychiatre. Ce sont des rencontres avec une psychothérapeute qui m'ont sauvé. Je ne suis pas guéri, mais j'ai compris en partie l'origine du mal. J'ai appris à vivre avec, à reconnaître les signes précurseurs d'une rechute. La fatigue est un des éléments déclencheurs. La peur de mourir, voire de la mort en général, aussi. Ces derniers jours, on peut dire que j'ai été servi de ce côté.

J'ai passé deux heures couché sur le divan, durant l'après-midi, à lutter contre des douleurs psychiques. La sensation est difficile à expliquer. On a beau savoir que tout ça provient de notre esprit, le corps souffre néanmoins. Il faut se détendre, respirer, identifier les parties de son anatomie qui transmettent des signaux négatifs ; se rassurer, se convaincre qu'on ne va pas mourir, qu'il ne s'agit que de malaises bénins. Le mal veut sortir. Ou entrer. On ne saisit plus la différence.

Auparavant, mes épisodes d'angoisse étaient surtout dus à la disparition de ma fille, Charlotte. J'ignorais toutefois que, sous cette pierre, se cachaient d'autres monstres avec, en vedette, le sentiment d'échec. Il se vautrait dans cette terre sombre et humide. Combien de fois ai-je rêvé que je retournais à la petite école. J'étais le seul adulte dans une classe de sixième année. L'inconfort provoqué par le mobilier réduit, par les regards des enfants et des professeurs. Cette troublante certitude d'être à ma place ; éprouver le besoin de recommencer. Puis se réveiller avec un goût bizarre dans la bouche, l'haleine du matin qui sent la honte.

Pourtant, ma carrière allait plutôt bien. Avant la disparition de Charlotte, du moins. Aux yeux de bien des gens, j'avais réussi. J'étais un écrivain publié, reconnu. J'écrivais aussi parfois pour la télévision, le théâtre, la radio. Certains enviaient ma polyvalence, ma facilité à passer d'un médium à un autre. Seulement, je n'étais pas satisfait. Je désirais être une voix qui compte, un phare dans la multitude. Chacun son ego. D'autres appellent ça de l'ambition.

J'ai donné des ateliers d'écriture, ici et là. Je trouvais difficile de me sentir obligé de mentir à des étudiants pleins de bonne volonté, mais sans talent particulier. Peut-être étais-je trop exigeant. Au fond, je n'avais qu'un conseil à leur prodiguer : écrire, c'est récrire.

Puis, Charlotte a disparu. Mon inspiration aussi. J'ai cessé d'écrire.

J'ai commencé à voir le fantôme de Charlotte. Il m'apparaissait quand je traînais dans sa chambre. Elle ne disait pas un mot. Elle me regardait. Parfois, elle secouait la tête, en signe de tristesse. Son spectre m'effrayait. Je fermais les yeux, je voulais la chasser de mon esprit. En même temps, j'aurais souhaité qu'elle reste.

Devant l'entrée de la chambre des parents de Sébastien Marchand, j'ai cru voir des ombres flotter à l'intérieur. Des silhouettes noires, habitées de colère, de terreur, d'incompréhension. Et tout ce sang partout. La disposition des cadavres laissait deviner ce qui s'était produit. Sébastien Marchand, probablement durant la nuit, s'était introduit dans la pièce et avait déversé sa rage à coups de couteau de cuisine sur son père, à en juger par le corps demeuré sous les couvertures. La mère avait dû se réveiller et tenter d'arrêter son fils. Son cadavre reposait maintenant par terre, près du lit, du côté de son mari. Quant au jeune homme, il s'était apparemment suicidé. Sa dépouille était maintenue plus ou moins assise contre une commode, un couteau dans le cœur.

— Restons pas ici, a dit Marcel Deschamps.

J'étais figé. Je ne parvenais pas à détourner mon regard de la scène. Marcel Deschamps m'a pris par le bras.

— Viens…

J'ai marché comme un zombie jusqu'à la voiture. Ce n'est qu'une fois à l'intérieur que j'ai peu à peu retrouvé mes esprits.

— Vous aviez déjà vu des morts, comme ça ?

— Pas souvent, mais on s'y habitue jamais, crois-moi, m'a-t-il répondu.

— Qu'est-ce qu'on fait ?

— Je vais appeler les collègues.

— Ils vont nous demander ce qu'on fabriquait là et nous poser un tas de questions, non ?

— Évidemment.

— J'ai pas envie d'être soupçonné de meurtre, moi !

— Pourquoi tu dis ça ?

— Un couteau planté dans le cœur, ça laisse place à interprétation…

— En effet… Mais crains rien. C'est le privilège d'être un ancien de la maison. Seulement, t'as raison : c'est possible que le jeune ait été assassiné, que ce soit pas un suicide. Ça reviendra aux enquêteurs de le déterminer, pas à nous…

— Vous parlez comme quelqu'un qui a envie de retourner voir.
— Pas toi ?
— Pas trop, non.
— Je voudrais m'assurer que notre gars est bel et bien le tueur d'animaux qu'on recherche.

Nous avons attendu que les premiers policiers arrivent sur les lieux. C'est Marcel Deschamps qui a expliqué les raisons de notre présence. Les deux patrouilleurs me regardaient du coin de l'œil. Comme il s'agissait d'homicides, nous avons dû patienter jusqu'à ce que les inspecteurs et l'équipe technique s'amènent et aient accompli leur boulot afin de ne pas « contaminer » la scène de crime. Puis, on nous a enfin laissés entrer dans la maison, accompagnés d'un gradé pas très sympathique.

— Je te fais une faveur, Marcel. Cinq minutes, pas plus. Après, je veux plus vous revoir ici. C'est clair ?

Nous nous sommes dirigés vers la chambre de Sébastien Marchand. Marcel Deschamps cherchait des indices, sinon des preuves, de l'implication du jeune homme dans la tuerie des animaux dans le boisé. Il a ouvert des tiroirs, fouillé un bureau, tandis que je m'occupais du placard. Nous n'avons rien trouvé de concluant.

— Il y a un sous-sol, une remise ? demanda l'ancien policier au gradé.
— Un garage.
— On peut aller jeter un œil ?
— Vos cinq minutes sont presque écoulées…

Marcel Deschamps ne semblait pas dérangé par l'attitude de son ancien collègue. Celui-ci, dans un « élan de gentillesse », nous indiqua une porte dans le couloir, qui conduisait au garage. Les propriétaires en avaient plutôt fait un débarras où s'entassaient boîtes, vélos, vieux meubles et autres. Au fond se trouvait un établi avec quelques outils accrochés au mur. Il n'y avait pas de traces de sang ou encore de cages dans lesquelles Sébastien Marchand aurait pu séquestrer ses victimes. Je crus que notre enquête allait se terminer là, dans un cul-de-sac.

— Merci, sergent, dit Marcel Deschamps, avant de sortir de la maison.

Une question me brûlait les lèvres.

— Pensez-vous que le gars s'est suicidé ou qu'il a été tué ?

— C'est pas de vos affaires.

— Désolé... Simple curiosité.

— Comptez-vous chanceux qu'on vous mette pas sur la liste des suspects.

Sans le vouloir, l'enquêteur venait de nous apprendre que le meurtre de Sébastien Marchand n'était pas exclu.

Dans la voiture, Marcel Deschamps affichait un air plutôt satisfait, malgré que, somme toute, nous soyons rentrés bredouilles. Rien ne nous permettait de lier Sébastien Marchand au massacre du petit bois. C'était négliger le fait que Marcel Deschamps n'était pas, comme moi, un détective amateur.

— Je réalise que nous avons oublié de te ramener un chien, cet après-midi, en partant de chez Lucien.

— C'est vrai.

— On va se reprendre.

— C'est pas nécessaire. J'ai rien qu'à m'en acheter un dans une animalerie.

— On pourrait profiter de notre visite chez Lucien pour t'en procurer un, dit-il en sortant une photographie de son veston.

— C'est une photo de...

— Oui. Je l'ai trouvée dans sa chambre, sans que notre ami sergent s'en rende compte. J'ai aussi remarqué un truc au garage.

— Quoi donc ?

— Il manquait des outils au-dessus de l'établi.

— Comment pouvez-vous savoir ça ?

— Ils étaient tous bien rangés, chacun suspendu à des crochets. Sauf deux. C'était facile à voir : leur forme avait été dessinée sur le panneau.

— Une scie et des cisailles…

— En plein ça. Je suppose qu'il devait aussi en manquer dans le coffre.

C'est de retour à la maison, une fois seul, que j'ai commencé à me sentir mal. Avant ça, l'adrénaline avait probablement aidé à me tenir la tête hors de l'eau. Je ne l'avais pas vu venir. Là, c'était incontrôlable. Je me suis étendu sur mon lit. J'avais l'impression d'être entouré de fantômes. J'avais peur de mourir.

Lundi 5 juillet

Hier soir, j'ai rêvé à mon père. Si j'étais freudien, je serais sans doute au bord de l'orgasme. Mon père avait les épaules voûtées, comme s'il traînait toute la misère du monde. Ses vêtements étaient élimés, ses souliers, usés. J'essayais de le réconforter. Il ne disait pas un mot. Il n'avait plus rien devant lui. Je lui proposais de l'aider à trouver un travail. Je lui parlais de la possibilité d'un retour aux études. Il n'a prononcé qu'une seule phrase : « À quel cégep es-tu allé ? » Sur le coup, ça m'a étonné qu'il ne le sache pas. Mais, d'un autre côté, il ne s'est pas vraiment intéressé à mon parcours scolaire non plus ni à grand-chose me concernant d'ailleurs. Son agence d'investigation était toute sa vie. Je lui ai alors répondu que j'avais commencé à tel cégep et que j'avais ensuite changé d'établissement ; le premier était ennuyant et je savais que j'allais avoir plus de plaisir au second. Mon père a souri de façon complice. Je ne pouvais pas m'empêcher de craindre une réplique assassine. Empêtré dans mon malaise, j'ai tenté de me déculpabiliser en ajoutant qu'à dix-huit ans il fallait bien s'amuser. Mon père hochait la tête sans que son sourire quitte son visage. Pourtant, je l'avais trahi. J'avais choisi les lettres, un domaine aux antipodes de l'administration. Mais non, il comprenait. Il avait été jeune, lui aussi.

Juste avant que je ne m'éveille, j'étais couché avec mon père. Je lui caressais le dos.

Quand j'ai ouvert les yeux, j'étais chamboulé. J'ai déjà entendu parler d'une quelconque tribu qui croyait que la vie qu'on mène en rêve est aussi réelle que celle qu'on mène le jour.

J'ai réfléchi durant la matinée.

Le téléphone a sonné plusieurs fois. Je n'ai pas répondu ni pris connaissance des messages. Toute cette histoire allait trop loin pour moi. Ma première intention était de vendre l'agence et c'est ce que j'aurais dû faire. Le notaire m'avait mentionné que certains de ses clients pourraient être intéressés. J'aurais dû l'écouter. Ma bonne nature s'était inquiétée du sort de Roger Leduc et de Fernand Levasseur. Je ne sais pas pourquoi je me sentais responsable de leur avenir. Ce ne sont que des employés de mon père, après tout. Mais je les connais depuis que je suis tout jeune.

Je me souviens d'un Noël, je devais avoir quatre ou cinq ans. Par la fenêtre du salon, j'avais vu une voiture s'arrêter en face de chez nous. Il était aux alentours de minuit. Nous habitions dans un quartier résidentiel, dans une petite rue. Qui pouvait bien se stationner devant notre maison à cette heure ? Mon père avait voulu me faire une surprise. Le père Noël ! Je l'ai vu descendre de l'auto et ouvrir le coffre. Il s'est ensuite dirigé vers notre escalier avec une immense boîte dans les bras. Je me suis précipité vers la porte. C'est à ce moment que j'ai reconnu Fernand Levasseur, à ses chaussures orthopédiques. Il boitait. Le visage masqué derrière la fausse barbe blanche ne laissait pas non plus beaucoup de place à l'imagination. Néanmoins, j'ai décidé de ne pas gâcher la fête. Je me suis comporté comme on s'y s'attendait : j'ai fait semblant.

Le père Noël, alias Fernand, est reparti aussitôt.

Comment un homme, le soir de Noël, peut-il se déguiser et venir porter un cadeau au fils de son patron sans qu'on l'invite à rester pour au moins manger un morceau ?

Au début de l'après-midi, ma décision était prise. J'allais me rendre au bureau et annoncer la nouvelle à Roger et Fernand. Seulement, quand je suis arrivé, Marcel Deschamps était avec eux.

— Qu'est-ce que vous faites là ? lui lançai-je.

— Je t'ai laissé plusieurs messages et comme je connaissais pas ton adresse…

— Qu'est-ce qu'il y a de si urgent ?

— Marcel a du nouveau sur l'« affaire », intervint Roger.

Les trois hommes parurent interloqués par mon manque de réaction.

— Tu veux pas savoir ? s'inquiéta Marcel.

Je soupirai.

— C'est pas que ça m'intéresse pas, mais…

— Mais ?

— Je pense que je vais vous laisser faire votre travail, répondis-je.

Seul Roger ne sembla pas surpris. Même que je crus déceler de la satisfaction dans son regard.

— Très bien, dit-il. De toute façon, c'est pas comme si on avait besoin de toi.

J'allais répliquer, mais je me ravisai. À quoi bon ?

— Tu abandonnes la carrière de détective ? me demanda Marcel avec sollicitude.

— Carrière, c'est un bien grand mot.

— Dommage. Je trouvais que t'étais doué.

— C'est gentil, mais je crois que je suis plus à ma place assis derrière un bureau à écrire.

— Justement, ça prend de l'imagination pour résoudre une enquête.

— De l'imagination ?

— C'est ça, oui, ricana Roger. On lui racontera l'histoire et c'est nous qui serons les héros de son prochain roman !

Fernand s'esclaffa.

— Pourquoi vous moquez-vous ? le questionna Marcel.

— Je me moque pas, parce qu'il y a pas de quoi rire quand on sait que Jean veut se débarrasser de nous.

— Comment ça : se débarrasser ? s'étonna Marcel.

— On se calme…, dis-je.

— Jean va vendre l'agence.

— C'est pas encore fait, répliquai-je.

— Ça tardera pas, je suppose, rétorqua Roger.

— On a passé toute notre vie ici, geignit Fernand.

Nos regards se portèrent vers le gros homme. Je ne savais plus où me mettre. Je déteste le chantage émotif.

— Ça m'intéresserait peut-être, moi, d'acquérir l'agence, lâcha Marcel.

S'il possédait les fonds nécessaires, l'ancien policier était sans doute l'acheteur idéal. Son expérience apporterait de la crédibilité à l'agence. De plus, il ne voyait aucun inconvénient à garder les employés actuels, au contraire. Toutefois, il devait en discuter avec son comptable. Mais il avait bon espoir. J'oscillais entre joie et honte. Honte de me défaire de l'entreprise que mon père m'avait léguée. Dans quel but ? Je l'ignorais encore. Sûrement pas pour que je la vende, mais je ne voyais pas comment faire autrement.

— Eh bien, messieurs, l'affaire me semble réglée. Je vous laisse entre les mains de Marcel.

— Avant de partir, je crois que tu devrais entendre les nouveaux développements. Techniquement, tu es toujours le patron, dit Marcel en souriant.

— Si ça peut vous faire plaisir…

C'est alors que Marcel Deschamps me révéla s'être rendu, la veille, chez son ami éleveur de chiens, Lucien Jeanson, et lui avoir montré la photo de notre Sébastien Marchand. Malheureusement, Lucien affirma que la photo ne correspondait pas au jeune homme qu'il avait engagé. Cependant, l'autre jour, après notre départ, Lucien Jeanson était allé vérifier s'il avait bien brûlé toutes les affaires de son ex-employé, par acquit de conscience. Effectivement, la chambrette était vide. Il n'y avait plus rien dans les tiroirs de la commode. Mais comme il n'avait pas lavé les draps depuis le départ du jeune homme, il les avait enlevés du lit et c'est là qu'il avait découvert, caché sous le matelas, un journal intime. Après l'avoir parcouru, il était sûr que c'était celui de « son » Sébastien Marchand (si c'était son vrai nom.)

Les tabarnaks de flics à marde. Hostie qu'ils vont me le payer. Pour une fois que je me trouvais un spot tranquille pour dormir. Ben non, il a fallu qu'ils viennent foutre le bordel dans notre squat. Qu'est-ce que ça peut ben leur faire qu'on crèche dans un christie de taudis abandonné. Tellement chieux, ils sont descendus en gang. Et avec des chiens, bâtard! Je sais plus combien ils étaient à nous crisser dehors à coups de pied dans le cul, dans face et dans les côtes. Des enfants de chiennes de crottés pas de couilles qui ont besoin d'une matraque ben dure pour oublier qu'ils peuvent pas bander.

Les crisses de cons. Ils nous ont mis en cellule pour la nuit. Ils nous ont dit qu'on devrait être contents d'avoir un toit.

Au parc, j'ai rencontré un gars vraiment weird mais cool. André. On a jasé pis toute. J'y ai raconté l'histoire du squat. Il m'a donné une maudite bonne idée pour me venger. On était faite à l'os. Il m'a amené dans son repaire, qu'il appelait. J'ai jamais eu peur de même pis en même temps je capotais, mais dans le bon sens. Il m'a dit qu'il fallait que je le fasse, comme lui, si je voulais me libérer pis toucher au néant. Une affaire du genre. Il a dit qu'il allait toute me montrer. Après, je serais prisonnier de la liberté. Fou raide.

Kidnapper le chien, ça a été plus facile que je pensais. On avait les poches pleines de biscuits. Le chien grognait, mais ça a été plus fort que lui quand il a senti les biscuits. Il s'est approché pour en avoir. Il fallait que je le fasse. J'ai juste eu à penser aux hosties de cons de flics pis la rage m'est remontée. J'ai fessé. Direct sur la tête. Une fois, deux fois, trois fois. Mon chum m'a dit d'arrêter. Fallait pas le tuer tout de suite. On l'a mis dans sa grosse poche de hockey pis on l'a transporté dans son repaire. En chemin, le chien s'est mis à brailler un peu. J'ai paniqué. J'ai laissé tomber le sac. Mais André m'a dit de le ramasser pis vite sinon c'est moi qui y passerais. Là, je savais plus si je continuais ou pas à lui faire confiance. Il a ri. Moi aussi. J'avais les shakes. Rendu dans le bois, André a sorti des outils. Avant de commencer, on a bu pis fumé. Après, ça allait mieux. Là, j'aurais pu faire n'importe quoi. Son stock était fort. J'ai cloué le crisse de chien à un arbre. Il beuglait. Mais personne nous entendait. André m'a donné le couteau. C'était comme du vaudou, son affaire. À chaque coup, fallait que je visualise le crisse de chien sale de flic qui m'a arrêté. Hostie ça faisait du bien. Il avait raison. Je me sentais libéré pis j'avais le goût de recommencer. C'était ça ma prison. Mais André voulait pas. Il disait que c'était son repaire, son temple. C'était à moi de fonder le mien.

Mardi 6 juillet

J'ai plongé en apnée dans la folie de Sébastien Marchand durant une partie de la soirée. C'était une lecture à la fois fascinante et rebutante. J'ai laissé tomber plusieurs fois, mais j'ai poursuivi. Je voulais savoir d'où il venait et jusqu'où il irait. Le cahier n'était pas identifié, il n'y avait pas de nom sur la couverture ni à l'intérieur. À la limite, comme l'avait fait remarquer Marcel, on ne pouvait certifier qu'il appartenait à l'ancien employé de Lucien Jeanson. Au début, il s'agissait surtout des vagabondages d'un jeune mésadapté, de sa colère, de ses peines. Le cas malheureusement classique du garçon trimballé dans de nombreuses familles d'accueil, victime de sévices physiques et psychologiques. À dix-huit ans, il décroche. Il est libre, avec nulle part où aller.

Le récit prend une tournure plus troublante avec l'arrivée de cet André, sorte de gourou de la perversion, qui exerce sur lui une influence déterminante. André l'« empoigne » sous son aile, se substituant au père si cruellement absent. Il s'impose dans la vie de Sébastien.

À certaines pages, on a droit à la description crue d'autres sévices corporels sur des sans-abri. On peut penser qu'il y a là une filiation entre les deux Sébastien Marchand. Roger a émis l'hypothèse que l'ex-employé de l'éleveur de chiens aurait connu le véritable Sébastien Marchand et qu'il lui aurait emprunté son nom. Cela soulevait la question : André dirigeait-il une sorte de secte ?

Roger a proposé de téléphoner au responsable de l'affaire Sébastien Marchand, le vrai, si l'on peut dire, et de lui fournir cette information. Marcel, lui, n'était pas trop chaud à cette idée. Ce n'était pas dans les habitudes de la police de collaborer avec des détectives. Il ne pensait pas que les policiers leur fassent part des détails de l'enquête. Il préférait s'enquérir auprès de ses contacts pour obtenir des renseignements. Il nous tiendrait au courant de ses progrès.

Je dois admettre que je trouvais ces derniers développements plutôt enivrants. Mon quotidien devenait soudain moins ennuyant avec tous ces mystères. Le repos du week-end m'avait donné un regain d'énergie. Je comprenais maintenant pourquoi mon père aimait tant passer ses journées au bureau. Enfant, je rêvais d'une vie d'aventurier. Plus tard, j'ai songé au métier de pilote de brousse ou encore à celui de journaliste d'enquête. À la fin de l'adolescence, la poésie, la philosophie, la littérature m'ont rattrapé. J'étais, et je suis toujours, je suppose, un romantique. En quelque sorte, j'ai concrétisé mon vœu de jeunesse. Je suis un aventurier de papier. Quand j'écris, je m'autoproclame roi de l'univers. Je décide de tout et de rien, souvent les personnages me surprennent. Cependant, la littérature n'a pas de répercussion sur le réel, enfin pas autant que je le souhaiterais. Elle aide à modeler une vision du monde, mais elle ne le change pas, même si elle l'inspire. Je ne doute pas que des gens puissent avoir été transformés à la lecture d'un livre. Agit-il de façon semblable sur celui ou celle qui l'écrit ? La littérature, même écrite au présent, est toujours un acte du passé. Si transformation il y a, elle a déjà eu lieu pour celui ou celle qui la décrit. Toutefois, la rédaction de ce journal remet en question mon énoncé. Il m'accompagne au jour le jour. Cela va-t-il me changer pour autant ?

Un proverbe dit qu'il faut marcher une journée dans les souliers de quelqu'un avant de le juger. Jusqu'ici, j'ai toujours cru que ceux de mon père empestaient trop pour que je songe à les porter, ne serait-ce que cinq minutes. D'ailleurs, je me souviens que, lorsqu'il rentrait à la maison, tard le soir la plupart du temps, il déposait sa paire de chaussures sous le meuble de la télévision. Quand je ne dormais pas et que je regardais un film, il me saluait de la tête, rotait le dernier verre pris avec ses amis et allait se coucher. Tout ce qui me restait de lui, c'était son odeur, que j'essayais d'aimer.

À l'annonce de sa mort, je n'ai pas eu de peine. Je n'étais pas soulagé non plus. Je me sentais mal de ne pas pleurer. L'hôpital m'avait téléphoné un peu plus tôt, me conseillant de venir, car la fin approchait. Je n'y suis pas demeuré longtemps. Sous l'effet des antidouleurs, je ne sais pas s'il m'a reconnu. Je lui ai pris la main et lui ai murmuré qu'il pouvait s'en aller. Ça me semblait la chose à dire, comme dans les films. Quelques minutes plus tard, je suis parti. Certains affirmeraient que j'ai fui, et ils n'auraient pas tout à fait tort. Je craignais par-dessus tout qu'il ne meure devant moi. C'est lâche, probablement. Je me console en me répétant qu'au moins il n'était pas seul, entouré de ma mère et ma sœur. Mon frère demeurait introuvable. Nous ne sommes pas une famille unie. Quand je suis revenu à la chambre, après son décès, mon père reposait sur son lit, le visage serein, la douleur l'avait quitté. Je ne savais pas quoi dire à ma mère et à ma sœur. Je suis sorti de la pièce. Je ne pouvais supporter d'être en présence d'un cadavre.

Il est passé minuit. Je tape ces mots assis à son bureau. J'ai peur de me retourner et de le voir au-dessus de mon épaule.

Je m'excuse, papa.

André m'a amené dans un parc dans le bas de la ville. Pas vraiment un parc, une place en béton. Il allait me montrer comment on s'occupe d'un vieux. Il disait qu'il y en avait plein qui traînaient là. Il avait raison. Fallait choisir le bon. Trop en santé, le vieux pouvait être agressif. Ça nous en prenait un que la vie avait gâché plus que les autres; un sur qui le soleil brillait pas trop souvent. Pour moi, ces épaves-là se ressemblent toutes. J'ai pas l'œil comme André. Il m'en a pointé un qui était assis par terre, un peu à l'écart des autres. C'était un bon signe, il paraît. J'étais nerveux. Je serrais le manche de mon couteau dans ma poche. On s'est approchés en faisant semblant de rien. Les autres vieux soûlons nous jetaient un œil craintif et méchant, comme des chiens battus pas de médaille. J'avais un peu peur qu'il pogne l'idée à un de ceux-là de se mêler de nos affaires, mais André me rassurait. «Inquiète-toi pas, y en a pas un qui va se lever. Ils ont pas envie d'être le suivant.» La place était pas trop éclairée. Y avait juste quelques lampadaires. Assez sombre pour pas se faire remarquer. Une fois devant notre cible, André lui a poussé le bout du pied avec sa botte. «Checke, il bouge même pas.»

André m'a regardé. C'était le moment. J'ai sorti mon couteau. Il m'avait dit que c'était à moi de décider où je voulais frapper, que mon choix serait pas innocent. Je savais toujours pas où planter ma lame. J'y avais pas trop pensé. Je m'étais dit que l'inspiration me viendrait sur le coup. Le vieux sale a levé la tête. Des yeux de truite. J'ai eu comme une image de voyage de pêche avec mon père, celui que j'ai jamais eu, le père pis le voyage. Mon bras s'est crispé. André m'a dit après que j'avais crié, juste avant. Moi, je m'en souviens plus. Tout ce que je revois, c'est le manche du couteau qui dépasse de l'œil d'une bouche qui hurle. Le reste, c'est confus. J'entends André qui arrête pas d'insister pour que je retire mon couteau, que je garde un souvenir. J'ai pas été capable. Je m'en veux. J'ai couru. André m'a dit que c'était pas grave. J'étais peut-être pas aussi prêt qu'il le pensait, mais que j'avais ben fait ça, quand même.

Mercredi 7 juillet

Marcel m'a téléphoné, tôt ce matin. Il m'a informé qu'il avait peut-être une nouvelle piste. Un chien éviscéré avait été retrouvé dans une bâtisse ravagée par les flammes. Ce n'était pas nécessairement relié à notre enquête, mais ça valait la peine de vérifier. Il allait passer me chercher dans moins d'une heure.

Je n'ai même pas eu le temps répondre par oui ou par non. J'ai bien sûr remarqué son emploi du « notre » pour parler de l'enquête. De toute évidence, Marcel tient à ce que je reste sur le coup. Pourquoi ? Je n'en ai pour l'instant aucune idée. Certains prétendent que la curiosité, et non la paresse, serait la mère de tous les vices. Quoi qu'il en soit, je sais aujourd'hui que la curiosité est aussi quelque chose de vorace et de jamais rassasié. En un mot, elle me rongeait.

J'avais hâte qu'il arrive. Ma tête fourmillait de questions. Par la fenêtre, je vis enfin sa voiture s'arrêter devant chez moi. Je sortis le rejoindre aussitôt. Marcel m'accueillit avec un sourire satisfait.

— Prêt pour une autre journée d'aventures, l'écrivain ?

— On peut dire ça.

— Tant mieux.

En chemin, il me relata les détails de l'affaire. Marcel avait tâté le terrain auprès de certains de ses anciens collègues avec qui il était demeuré en bons termes. Cela me fit réaliser qu'il ne devait pas l'être resté avec tous. Au fond, je ne savais pas avec quel genre de bonhomme je m'étais embarqué. De prime abord, il n'avait pas été sympathique. Il avait changé d'attitude seulement lorsque je lui avais parlé de la disparition de ma fille. J'étais trop content que mon subterfuge ait marché pour me demander ce qui avait provoqué ce soudain rapprochement. Puis, les événements avaient déboulé et je n'avais pas pris la peine d'y repenser.

— Je peux vous poser une question ? l'interrompis-je.

— Oui, oui…

— Avez-vous des enfants ?

— Pourquoi tu me demandes ça ?

— Pour savoir.

Marcel garda les yeux sur la route un bon moment avant de me répondre, sans me regarder :

— Les flics font rarement des ménages heureux.

Un malaise s'installa.

Je me sentais coincé entre l'envie d'en savoir plus et le respect de son intimité.

— J'ai eu une femme et un fils, reprit-il en soupirant. Un jour, je suis rentré à la maison après le travail, en pleine nuit, et je l'ai trouvée pendue. Mon fils dormait. C'est contre moi qu'elle avait fait ça.

Il tourna la tête dans ma direction, mais on aurait dit qu'il regardait ailleurs.

— Mon fils, même s'il n'avait que douze ans, l'avait bien compris, lui aussi. Il m'en a voulu.

Il reporta son attention sur les voitures autour de nous.

Je n'osais pas briser le silence.

Puis, après un moment, il déclara :

— Avoir un flic comme père, c'est dur. Le mien en était un. J'aurais dû apprendre.

Marcel ralentit et stoppa le moteur.

— C'est là, m'indiqua-t-il.

En sortant, il ajouta :

— Tu vas trouver ça ridicule, mais mon fils aurait environ ton âge, aujourd'hui.

— Qu'est-ce qu'il lui est arrivé ?

J'avais posé la question sans réfléchir, spontanément.

— Officiellement, il est mort d'une overdose. Mais je crois que ça faisait plus longtemps que ça qu'il ne vivait plus.

Il referma brutalement sa portière, me laissant comprendre que le sujet était clos.

Pour l'instant, du moins.

Nous étions devant une bâtisse de trois étages dont les fenêtres étaient placardées de panneaux de bois. L'immeuble avait servi de refuge à des jeunes de la rue et avait abrité une piquerie. De larges traces de suie recouvraient la façade à plusieurs endroits. Le triplex détonnait à côté des autres. On aurait dit un mausolée. J'imaginais l'incendie, la chaleur du feu à l'intérieur ; les vitres qui explosent et les griffes des flammes qui en jaillissent. Je voyais mal comment on avait pu retrouver la carcasse d'un chien dans les restes de ce brasier et surtout déterminer qu'il avait été mutilé. Marcel m'apprit que le feu avait pris naissance au troisième et ne s'était pas propagé jusqu'au rez-de-chaussée, là où l'animal avait été découvert.

Nous avons fait le tour par la ruelle et nous avons pénétré dans la cour. La porte de derrière du rez-de-chaussée n'était pas obstruée. Nous sommes entrés dans la cuisine. Difficile de croire que des gens avaient pu vivre ici. La pièce avait l'air d'un garde-manger pour rats. Des déchets traînaient partout, par terre et sur les comptoirs. Des croûtes de pizza, des morceaux de sandwichs, des verres en carton, des sacs de chips, des petits sachets en plastique transparent, des mégots de cigarettes… On y trouvait même des excréments, ceux du chien, apparemment. Pas de cuisinière ni de réfrigérateur, pas de vaisselle dans les armoires. Des graffitis ornaient les murs quand ce n'étaient pas des coulisses noires ou jaunâtres. Un dépotoir de détresse.

En contournant les détritus du mieux possible, nous avons atteint un corridor qui débouchait sur le salon. Étonnamment, cette pièce paraissait plus propre. C'était une illusion. Les ordures avaient été poussées et empilées le long des murs. Un drap bleu pâle occupait la moitié du plancher, sur lequel on distinguait une grande tache foncée.

— C'est sans doute ici qu'il a tué le chien.

J'essayai de chasser des images de mon esprit.

— Pourquoi teniez-vous à me montrer ça ? m'indignai-je.

— Viens avec moi.

Je le suivis à contrecœur.

Marcel ouvrit une porte qui donnait sur une chambre sombre. Il n'y avait aucun meuble, comme dans le reste de l'appartement. Je ne remarquai rien jusqu'à ce qu'il ait allumé ; je vis alors quelques phrases écrites au crayon-feutre sur l'un des murs. De loin, je crus reconnaître la calligraphie. Curieux, je m'approchai. Mais non, ce n'était pas la même écriture que celle du journal de l'apprenti assassin. Mon œil fut ensuite attiré par une phrase. *Nous irons les dévorer jusque dans leurs rêves.* Ça me disait quelque chose…

— Regarde en bas, à droite.

— Non…

Une signature. Mais c'était impossible. Je commençai à lire à partir du haut. Ça me revenait, maintenant. Ça n'avait toujours aucun sens.

— Alors, c'est de toi ou pas ? me demanda Marcel.

— Oui, mais…

— Oui ?

— Personne a jamais lu ça. Je veux dire, ça provient d'un texte qui a jamais été publié.

— Qui a pu y avoir accès, sinon ?

— J'ai écrit ça à l'université, pour un atelier d'écriture.

— Ça parlait de quoi, exactement ?

— D'un vampire nain qui enlève des enfants pour les enrôler dans son armée de la peur. Il fallait produire un texte de genre. J'avais choisi l'horreur. J'avais écrit cette nouvelle pour m'amuser. C'était plutôt drôle.

— On dirait que quelqu'un t'a pris au sérieux…

Je me suis mis à penser aux personnes qui avaient suivi ce cours avec moi. Mes souvenirs étaient flous. Nous étions peu nombreux. Le prof était aussi éditeur. Il avait pris sa retraite de l'enseignement quelques années plus tard. J'ai appris récemment qu'il avait vendu sa maison d'édition, mais qu'il était demeuré dans la boîte, à titre de conseiller. Tout le monde prend un aspect bizarre quand on se les représente en train de tuer.

— Est-ce que les travaux des étudiants sont tous entreposés quelque part, à la bibliothèque par exemple ?

— Non, je ne crois pas. Les mémoires, les thèses, oui, mais pas ceux des ateliers.

— Donc, on a ici, sur ce mur, un extrait d'une histoire que tu as écrite à l'université, il y a une dizaine d'années. Et personne n'a jamais lu ce texte. Sauf les étudiants et le prof.

— C'est ça.

— Des amis, peut-être ?

— Euh… Non. Ma fille. Ma blonde.

— Est-ce que ta blonde aurait pu le montrer à quelqu'un ?

— Je pense pas. J'ai même plus ce texte en ma possession.

— Comment ça ?

— Il était sur une disquette, avec d'autres trucs de l'époque, et je ne sais plus ce que j'ai fait de ces disquettes. Je dois les avoir jetées, à un moment donné.

— Tu gardes pas tout ce que tu écris ?

— D'habitude, oui.

— Tu l'as perdu, donc.

— Oui… Enfin, je peux vérifier. Mais de toute façon, que je l'aie ou pas, ça explique pas comment un de mes textes a pu se retrouver dans ce taudis pour malades !

— En effet. À moins…

J'ai senti l'adrénaline monter en moi de manière fulgurante.

— Êtes-vous en train de m'accuser ?

Mes poings se serrèrent, mes ongles perçaient presque dans mes paumes.

— Non… Mais dans une enquête, on doit considérer toutes les possibilités.

— Estie de flic… Mange donc de la marde !

Je tournai les talons.

Une fois sorti de l'appartement maudit, je hélai un taxi et je me promis de ne plus jamais adresser la parole à Marcel Deschamps. Durant le trajet, un passage du journal de Sébastien Marchand me revint en mémoire…

La folie, c'est la perte de contrôle.

La folie, c'est répéter une chose plusieurs fois et espérer un résultat différent.

La folie, elle est dans l'œil des autres.

Je suis pas fou sacrament!

Arrivé chez moi, j'étais toujours aussi enragé.

Comment Marcel avait-il osé ?

J'ai décidé de prendre une douche pour me calmer. La tête sous le jet d'eau chaude, je revoyais des images d'horreur de l'appartement. Je ne comprenais toujours pas comment mes mots avaient pu se retrouver sur ce mur. J'aurais peut-être dû rester. Ma fuite allait-elle alimenter les soupçons de l'ex-policier ? Ça n'avait aucun sens. Quelqu'un, quelque part, me voulait du mal.

J'avais beau passer en revue chacune des personnes ayant lu mon texte à l'université, je ne parvenais pas à en considérer aucune comme suspecte, au contraire. Je ne me souvenais pas de leurs noms, seulement de leurs visages, et encore, certains étaient flous dans mon esprit. Il y avait cette fille que j'avais revue des années plus tard dans un salon du livre. Elle travaillait pour une maison d'édition de poésie. Je me rappelais l'avoir draguée un peu, à l'université, mais sans insister. Je n'éprouvais pas vraiment d'attirance pour elle. Je me sentais seul.

Il y avait aussi une femme que j'avais surnommée « celle qui est en amour avec son coffre à outils », car elle avait écrit une nouvelle dont le personnage central était un coffre à outils. Du moins, c'est ce dont je me souviens. Ce n'est peut-être pas exact. La mémoire est sélective. Le temps enjolive ou modifie nos souvenirs, à sa guise ou à notre convenance. Enfant, je regardais des photos de famille d'une époque où je n'étais pas encore né, et pourtant j'affirmais que j'avais été là. À force d'imaginer, on crée des réminiscences. Peu à peu, on développe une vague impression de certitude. Oui, je me souviens... La mémoire n'est pas qu'une faculté qui oublie.

Après la douche, j'avais les idées plus claires. Je saisissais l'élément déclencheur de ma colère. Bien sûr, l'attitude de Marcel m'avait hérissé. Mais cela remontait à plus loin que ça. Quand Charlotte a disparu, les enquêteurs se sont montrés suspicieux à mon endroit. Ça m'avait mis hors de moi. Eux aussi devaient envisager toutes les hypothèses avant de rayer quelqu'un de la liste de suspects potentiels. Ils m'avaient posé toutes sortes de questions que je jugeais indécentes. Ils étaient même allés jusqu'à supposer que j'avais pu avoir des rapports sexuels avec ma fille. J'avais pété un plomb. N'eût été l'intervention de mon père qui avait des contacts chez les officiers, j'aurais été accusé de voies de fait et d'entrave au travail des policiers. Le tact n'est pas donné à tout le monde. J'étais en pleine souffrance et ces idiots grattaient ma plaie. J'étais bien capable de le faire moi-même.

Mes crises d'angoisse ont commencé à cette époque. J'avais trop d'imagination. Plus les jours et les semaines passaient, plus les scénarios de ce qui avait pu arriver à Charlotte se complexifiaient. Pour me soulager, je préférais croire à une simple fugue. Elle allait réapparaître, à un moment donné, avec des explications, repentante. Mais ça ne s'est jamais produit.

La période des Fêtes a toujours été la plus difficile pour moi. Elle l'est aussi souvent pour les célibataires, les solitaires forcés et les sans-famille. J'espérais un signe de vie. Un signe de Dieu, que sais-je. Un signe. Le seul que je recevais était celui de mon angoisse. J'ai passé quelques veilles ou lendemains de Noël aux urgences, certain que ma mort était proche. Un cachet de Valium, un peu de sommeil entouré du personnel soignant, et je me sentais mieux. J'avais besoin qu'on s'occupe de moi, je suppose. Je n'en sais rien. Je me croyais fort. Je voulais affronter les épreuves seul.

Moi aussi, pendant longtemps, je souriais quand on évoquait la dépression et les médicaments. C'était pour les faibles. Allez, reprends-toi. Je souscrivais à la vague populaire, nous vivions dans une société de pilules du bonheur. Puis, quand ça m'est arrivé, autour de moi j'ai senti la gêne lorsque j'en parlais. À la limite, on me comprenait, j'avais traversé des choses difficiles. J'avais une bonne excuse. Heureusement. Sinon, quelles raisons j'aurais pu donner pour justifier ma phobie de la mort ? Aucune, sans doute. Au mieux, je serais passé pour un malade affectif, un handicapé émotif… Une baudruche, quoi. Je ne savais comment expliquer à mon entourage que la disparition de Charlotte avait été le catalyseur de toutes mes peurs. Ma vie était devenue un champ de mines antipersonnel.

J'étais déjà un peu pessimiste de nature. Un héritage de ma mère. Je nous revois sur le petit yacht d'occasion de mon père. Il tenait la barre, un de mes oncles à ses côtés, tandis que je jouais dans la cabine avec ma mère. Soudain, le bateau a heurté quelque chose. Du moins, de la cale, ma mère et moi avons entendu un bruit sourd contre la coque. Puis, le moteur s'est arrêté. Ma mère s'est mise à crier : « On va se noyer ! On va se noyer ! » Elle a sorti les gilets de sauvetage et m'en a enfilé un trop grand pour moi. Nous étions prêts à sauter par-dessus bord pour nous sauver du désastre. Rapidement, ma mère en premier, nous avons grimpé les quatre marches conduisant au pont. Mon père avait l'air agacé. Mon oncle souriait. Les hélices du moteur étaient embourbées dans des algues. On apercevait des roches dans l'eau. Mon père avait navigué trop près de la rive. Il voulait observer de plus près une grande maison de riches. Bien qu'il soit possible de se noyer dans son bain, les chances étaient minces pour que ça nous arrive dans moins d'un mètre d'eau. Ma mère s'est sentie ridicule. Mon père avait levé les yeux au ciel, marmonnant des reproches.

Et moi, j'étais fâché de m'être laissé entraîner dans la panique de ma mère.

Elle était comme ça, toujours à relever le mauvais côté des choses. C'était plus fort qu'elle. Elle vivait dans la peur. Dans la peur de la peur. J'ai eu beau lutter contre son influence, je n'ai pas su l'endiguer tout à fait. Ma riposte consistait à ne pas l'écouter, à en faire à ma tête. Elle approuvait rarement mes choix. Ils étaient trop risqués. Même si elle éprouvait (en secret) de la fierté devant mes réussites, elle ne m'encourageait pas. Tout pouvait soudain se mettre à aller mal. D'une certaine façon, j'ai tenté de grandir comme un orphelin, avec tout ce que cela comporte de manques. C'est très fort, ce sentiment, voire cette obligation, que les enfants ont de plaire à leurs parents.

En vieillissant, j'ai cherché une famille ailleurs. Mes amis, mes collègues sont devenus des substituts. C'est dans leurs yeux que j'ai essayé de trouver de la reconnaissance. Dans ceux du public aussi, sans doute. Puis, j'ai fondé ma propre famille. J'ai plongé dans l'amour, avec ma blonde et ma fille comme bouées. J'ai été heureux. Je me redéfinissais, me reconstruisais. Je n'avais plus peur.

Jusqu'à notre séparation.

Mon couple avait touché le fond, mais Charlotte était mon ancre. Elle m'évitait de partir à la dérive. À sa disparition, je suis devenu un naufragé sur un radeau d'espoir, à la recherche de sa fille. J'ai cessé d'aimer, j'ai arrêté d'écrire. Le théâtre est l'art du conflit. J'avais épuisé mes ressources de drames, je n'arrivais plus à l'alimenter. Je le fuyais.

Il y a trois ans, puisque la vie continue malgré nous et qu'il faut bien payer le loyer, j'ai décidé de me rendre disponible pour des animations dans les écoles. J'avais écrit des romans jeunesse quelques années auparavant. Un jour, devant une classe pleine d'enfants, une crise de panique m'a submergé. Quel souvenir impérissable ces jeunes ont dû garder du passage de leur auteur préféré dans leur école : moi, couché par terre, tremblant, entouré de pompiers venus à titre de premiers répondants, attendant l'ambulance.

Quelques minutes auparavant, je racontais de drôles d'anecdotes de mon enfance. Puis, dans ma tête, tout s'est mélangé. Ma fille, ma mère, mon père, mon ex… Ma vie n'était qu'une série d'échecs. Je délirais. J'ai commencé à prendre enfin des médicaments un an plus tard. Depuis deux ans, je gère mes épisodes d'angoisse. J'ai appris à reconnaître les signes avant-coureurs.

La mort de mon père m'a placé face à la mienne. Les cadavres de cette enquête me poursuivent la nuit. Je ne suis assuré que d'une chose : je veux vivre.

Jeudi 8 juillet

Vers dix heures du matin, j'étais encore au lit, mais je ne dormais pas. Le téléphone a sonné. Sur l'afficheur, j'ai vu le numéro de Marcel Deschamps. Je n'ai pas répondu. Il n'a pas laissé de message. J'aurais espéré des excuses. À haute voix, je l'ai envoyé chier. Longtemps. Ça arrive à tout le monde de parler tout seul.

J'étais d'humeur à régler des choses. J'ai décidé de recommencer à fumer. J'avais un paquet qui traînait dans un des tiroirs de mon bureau. En cas d'urgence. Griller une cigarette en se levant le matin n'est pas la meilleure idée. J'ai tellement toussé que je pensais vomir. Mais ma gorge s'est accoutumée. Après les premières bouffées, j'étais un peu étourdi. Mon cerveau s'est habitué. Et mes poumons ont chanté : *welcome home*, nicotine.

Je voulais vivre, mais j'avais besoin de me donner de petites doses de mort, une façon de m'inoculer le virus pour mieux l'affronter.

Puis, j'ai appelé à l'agence de mon père. C'est Roger qui a décroché.

— Bonjour, c'est Jean.

— Je sais.

— Vous avez eu des nouvelles de la proposition d'achat de Marcel Deschamps ?

— Non… Et je ne vois pas pourquoi il s'adresserait à moi ou à Fernand.

— Peu importe. Je voulais simplement vous informer que je n'allais pas lui céder l'agence.

— Ah… Et pourquoi donc ?

— C'est personnel.

— Personnel ?

— Oui.

— Mais… Comptes-tu toujours la vendre ?

— Oui.

— Ton père aurait vraiment aimé que…

— J'en ai rien à foutre, de mon père. Il est mort, tant mieux. Merci pour tout.

— Je sais que vous n'étiez pas très proches…

Je me suis esclaffé. Roger a néanmoins poursuivi :

— Surtout depuis la disparition de ta fille.

— Oui, quelle chance d'avoir un père détective qui décide de pas vous aider à retrouver sa petite-fille… Conflit d'intérêts, mon cul !

— Tu te trompes, Jean. C'est seulement qu'il voulait pas que tu sois impliqué.

— Ben oui… Excellent prétexte pour ne rien faire.

— Nous avons enquêté, Jean.

— Quoi ?

— Il te l'a jamais dit ?

— Qu'est-ce que vous racontez ?

J'étais totalement abasourdi. J'ai déposé le combiné et je me suis allumé une cigarette.

— Jean ? T'es toujours là ?

— Oui, oui.

— Je suis désolé, Jean. Je pensais qu'avec le temps il t'en aurait au moins glissé un mot.

— Non, même pas. Et je vous avoue que j'ai un peu de difficulté à vous croire.

— Voyons ! Pourquoi j'inventerais une chose pareille ?

— Je sais pas, moi… Peut-être une manière tordue de me convaincre de pas me débarrasser de l'« œuvre » de mon père.

— Écoute, Jean… Passe au bureau, quand tu veux. Je te montrerai le dossier de l'enquête sur ta fille.

Je n'ai pas dit un mot.

J'ai raccroché.

Qu'est-ce qui avait bien pu inciter mon père à ne jamais rien me révéler ? Je ne voyais qu'une chose : la honte d'avoir échoué. Je tenais peut-être plus de mon père que je ne voulais bien l'admettre. Raison de plus pour le détester.

Je ne savais pas si j'étais prêt à m'immerger dans les mauvais souvenirs de la disparition de Charlotte. Je n'ai jamais osé dire qu'elle était morte. Pourtant, j'avais vu son fantôme si souvent. J'ai commencé à avoir un léger mal de tête. J'ai remarqué les tensions qui nouaient mes épaules, serraient mes mâchoires, qui annonçaient des douleurs au bras gauche et à la poitrine. Deux Tylenol plus tard, je me suis allongé sur mon lit et j'ai fait des exercices de respiration. Une technique que j'avais apprise au cours d'un séjour dans un ashram. Non, pas en Inde, mais dans les Laurentides, il y a une vingtaine d'années. On a les voyages spirituels qu'on peut. Je dis ça avec le sourire, car je n'ai jamais été très porté sur l'ésotérisme. Des expériences de jeunesse. En fait, c'était au cours d'un périple où, avec un ami, j'ai fait le tour du Canada sur le pouce. D'un océan à l'autre ou presque. À cette époque, je me cherchais. Je pensais me trouver ailleurs. Le but était surtout de faire table rase de l'éducation que j'avais reçue, de détruire l'influence qu'avaient pu avoir sur moi la société et mes parents, de découvrir qui j'étais vraiment. Vaste programme. N'empêche que c'est durant cette espèce de pèlerinage vers moi-même que mon désir de devenir écrivain s'est conforté. J'ai ensuite hésité entre aller vivre à Paris ou étudier à l'école de théâtre, à Montréal. J'ai opté pour la version artiste local, après avoir séjourné quelques mois dans la Ville lumière. À mon retour, j'ai renoué avec mon grand amour, la future mère de Charlotte. À peine deux ans plus tard, ma fille venait au monde, pour le quitter beaucoup trop tôt.

C'était plus fort que moi. Il fallait que je sache. Je me suis rendu à l'agence. Roger était sorti. Fernand m'a assuré qu'il reviendrait bientôt. Enfin, c'est ce qu'il lui avait dit avant de partir. Il ignorait où il était allé. Je me demandais si Fernand me mentait. Il avait l'air mal à l'aise. Probablement qu'il avait entendu ma conversation avec Roger. Malgré son apparence d'ogre, ce monstre de chair était plus sensible qu'il n'y paraissait. Je choisis de ne pas risquer de l'embarrasser davantage en lui posant des questions. Je respectai sa loyauté envers son collègue, sans doute son seul et unique ami.

— Tu vas-tu vendre, finalement ?

— En principe, répondis-je de façon évasive.

Je n'étais plus sûr de rien. Je détestais être dans cet état d'indécision, de flou.

— Ah… Tu pourrais nous la donner ?

Je souris.

— J'ai l'air d'une œuvre de charité ?

— Roger avait ben raison…, lâcha-t-il avec dépit.

— À propos de quoi ?

— J'aime autant pas en parler.

— Non, non, allez-y. Ça m'intéresse.

Fernand soupira.

— Nous autres, on a travaillé toute notre vie pour ton père, pis qu'est-ce qu'on reçoit comme récompense ? Toi, t'arrives, tu prends le contrôle…

— Comme un fils à papa, c'est ça ?

— En tout cas…

— Dites le fond de votre pensée.

— Laisse faire, tu comprendrais pas.

Malaise.

— Avez-vous eu d'autres cas, ces derniers jours ? lui demandai-je pour changer de sujet.

— Non… Ç'a été ben tranquille.

— Qu'est-ce que vous faites quand vous travaillez pas ?

— On travaille toujours, voyons !

— Je voulais pas vous insulter…

— On fouille les vieux dossiers. Ça occupe. Pis des fois, on a des nouvelles idées.

— Par exemple ?

— Je… Je peux pas t'en parler.

— Ben là…

— Roger veut pas.

Je le regardai avec les sourcils froncés, plus d'étonnement que d'impatience.

— Vous avez des secrets ?

Sur ces entrefaites, Roger franchit le pas de la porte en tenant un sac. Fernand et moi étions comme des enfants surpris les mains dans le pot de biscuits. Intrigué, Roger posa ses yeux sur nous à tour de rôle.

— Qu'est-ce qui se passe ?

— Je demandais à Fernand à quoi vous occupiez vos temps libres quand vous étiez pas sur une enquête.

— On travaille toujours, tu sauras, répliqua sèchement Roger.

— C'est ce qu'il était en train de m'expliquer, répondis-je calmement. Vous étiez où ?

— Tu nous fais pas confiance, hein ?

— J'ai pas dit ça !

— Pourquoi tu nous as envoyés à la chasse aux voisins, dans l'affaire des animaux mutilés, pour ensuite plus nous donner de nouvelles ?

Honnêtement, je ne le savais pas. L'habitude de l'écrivain qui travaille en solitaire ?

— Je comprends que ça puisse t'impressionner, que Marcel Deschamps soit un ancien policier, et que tu sois peut-être porté à le juger plus crédible, mais nous aussi, on connaît notre métier.

— Vous avez raison.

— À propos de... ?

— Écoutez... Je suis pas un vrai détective, comme vous. Je suis juste l'héritier du patron. Dans la vie, je sais rien faire d'autre qu'écrire et... je me suis laissé emporter par cette histoire. Fasciné, j'ai suivi Marcel Deschamps. J'ai pris de notes. C'est tout. C'est rien contre vous.

— On vit pas dans un roman, nous autres, lança Fernand.

Étrangement, je me sentais comme un auteur dont les personnages lui rappellent leur existence.

— Et on est un peu tannés de se faire donner des ordres, ajouta Roger. On a plus d'expérience que toi.

— O.K., c'est beau. Vous le prenez pas que mon père m'ait légué son agence. J'ai compris. Mais c'est pas de ma faute ! J'en voulais pas, de sa business ! Qu'est-ce que vous voulez que je vous dise ? On passera pas la journée là-dessus...

Je tentais de reprendre le contrôle de la situation. Je regardai Roger.

— Vous avez quelque chose à me montrer ?

Un peu déstabilisé par mon attitude, Roger parut vouloir répliquer, mais décida, lui aussi, que le sujet était clos.

— T'as raison. On réglera ça une autre fois, conclut-il sur un ton étrange.

Il retira de son sac plusieurs gros cahiers noir et gris à couverture rigide et me les tendit.

— Ton père me les avait confiés avant de rentrer à l'hôpital. Il savait qu'il en ressortirait probablement pas.

Vendredi 9 juillet

Hier, je suis sorti de l'agence avec les cahiers de mon père sous le bras. Ils pesaient plus lourd que son urne funéraire. Je les ai déposés à côté de moi, sur le siège du passager. J'avais l'impression qu'une sorte d'aura en émanait. En route, distrait par cette présence d'outre-tombe, j'ai failli heurter un piéton qui traversait malgré le feu rouge. J'ai appuyé brusquement sur la pédale de frein et les cahiers ont glissé du siège pour choir sur le plancher de l'auto. L'un d'eux s'est ouvert en tombant et, tel un signe de l'au-delà, j'ai aperçu le nom de ma fille en haut de la page de droite. Troublé, je me suis stationné dès que j'ai repéré une place libre et j'ai prudemment ramassé le cahier en question, comme s'il s'agissait d'un grimoire aux propriétés magiques.

Ça fait un mois aujourd'hui que Charlotte est disparue et l'enquête ne progresse pas comme je l'aurais souhaité. Jean est passé me voir au bureau. Je ne peux pas lui en vouloir d'être enragé. Mais c'est justement pour ça que j'ai décidé de ne pas le mettre au courant. Il a toujours été une tête folle. Il nuirait plus qu'autre chose. Déjà que ça a tout pris pour que les enquêteurs ne l'accusent pas de voies de fait et d'entrave à leur travail. Des fois, je me demande comment c'est possible de mettre au monde un fils qui ne nous ressemble pas du tout. Si au moins il tenait de sa mère. Ma femme dit que Jean est un esprit libre. J'ai aucune idée de ce que ça veut dire, à part de jouer au fanfaron parce qu'il écrit. Me faire engueuler, c'est une chose, mais me faire crier des grands mots à cinq piastres, ça m'énerve. On a tout fait pour lui et il nous prend de haut. Duplessis avait raison, l'éducation, c'est comme la boisson, y en a qui ne supportent pas ça. Mais bon, c'est mon gars pareil. De toute façon, ce qui me préoccupe le plus, c'est de retrouver Charlotte ou au moins de savoir ce qui lui est arrivé. Ça me surprendrait pas qu'elle ait fugué. Jean est dur des fois avec elle. On dirait qu'il se souvient pas comment il était, lui, quand il était jeune. Ou bien qu'il s'en souvient trop, justement. Je m'ennuie tellement d'elle, la petite Charlotte. Avec Jean, on a au moins ça en commun. Demain, je rencontre le sergent Legendre. On va partager nos informations. Fernand surveille le terminus d'autobus depuis des semaines et Roger se promène dans le centre-ville, fait le tour des squats. Legendre va me faire rencontrer son escouade des gangs de rue. J'espère presque que ça donnera rien. S'il fallait que ma Charlotte se soit fait enrôler de force dans la prostitution… On verra demain.

Je me souviens de la première fois (de plusieurs) que mon père est entré à l'hôpital. Je ne sais plus quel âge j'avais. J'étais trop jeune pour le visiter, mais, dans ce temps-là, on n'observait pas les règles de façon aussi zélée. Le port de la ceinture de sécurité n'était pas obligatoire. Les gens pouvaient conduire leur voiture après avoir bu s'ils s'en sentaient capables. Les enfants ne portaient pas de casque quand ils allaient à bicyclette et ils avaient le droit de s'amuser à se lancer des balles de neige dans la cour de récréation. Le sucre, le gras et le sel n'étaient pas des ennemis publics. Nous vivions dans l'insouciance et, comme disait ma mère : « Heureux les creux, car le royaume des cieux est à eux. » Bref, j'ai vu mon père allongé sur son lit d'hôpital, des tubes plantés partout, entouré de gens tout aussi mal en point. Que je le veuille ou non, ce spectacle de la souffrance m'a marqué. Ça a été mon premier contact avec la maladie, la maladie grave, qui nous met face à notre propre mort. Soudain, je n'étais plus immortel. Ni personne autour de moi. Terminée, cette idée que la vie est un parc d'attractions et où on revient chaque soir à la maison pour entendre maman nous chanter une berceuse. Je pouvais mourir. N'importe quand. Pas seulement quand je serais très vieux.

C'est aussi à cette occasion que ma fixation sur les moniteurs cardiaques a débuté. J'observais les chiffres toujours changeants — 96, 102, 68, 72 —, variant au gré des mouvements de mon père dans son lit. Je regardais l'horloge de la mort, dont le cours du temps paraissait chaotique, imprévisible. Et ce bruit, aigu, répétitif. Biiip. Biiip. Comme les secondes d'une minuterie de micro-ondes dans lequel on verrait un cœur battre, ignorant les minutes, les secondes qu'il reste avant que l'organe n'explose.

Ce n'est que plus tard que je me suis rendu compte que des sons ou des évocations de moniteurs cardiaques se retrouvaient souvent dans ce que j'écrivais.

Une fois, je suis allé à l'église prier pour la guérison de mon père. Je n'étais pas, et je ne le suis toujours pas, croyant. Sauf en cas de force majeure, comme bien des gens. Une espèce « d'on ne sait jamais. » C'était un dimanche matin. Nous habitions juste en face de l'église. Je m'étais assis parmi les quelques fidèles, des personnes âgées pour la plupart. La messe, pour moi, était plutôt synonyme de cours d'éducation physique dont les codes m'échappaient. À genoux, assis, debout, à genoux, assis, ainsi de suite. Les paroles du curé étaient ponctuées de mots clés auxquels l'assistance répliquait plus ou moins toujours la même chose, une sorte de chanson à répondre, mais morne et sans rythme. À la fin, s'ils avaient été sages, les fidèles avaient droit à une récompense. On faisait la file, comme au centre commercial au moment du passage du père Noël, sauf qu'au lieu de s'asseoir sur les genoux du prêtre, on s'agenouillait devant lui en tendant les mains pour recevoir notre cadeau. Plusieurs attendaient le célébrant la langue sortie afin que le curé y dépose directement l'hostie. Je suppose qu'ils ne savaient pas qu'ils avaient l'air idiot.

J'ignore si mes prières ont été entendues ou exaucées. Mon père a néanmoins quitté l'hôpital, guéri. Jusqu'à la prochaine fois. J'ai déjà passé une nuit complète aux soins intensifs, assis sur une chaise droite, parce que ma mère ne se sentait pas la force de rester. Je l'appelais pour lui donner des nouvelles. À côté du lit de mon père, il y avait une vieille femme originaire de la Gaspésie. Tous les membres de sa famille étaient descendue à Montréal.

Ils devaient être une vingtaine à se relayer au chevet de la mourante. J'étais embarrassé d'être le seul de mon clan. Le lendemain soir, quand je suis revenu, mon père m'a annoncé que la femme était décédée durant la journée. Je peinais à m'imaginer à sa place. Souffrir sur un lit d'hôpital, craindre pour sa vie et assister à la mort à un mètre de soi. Ça ne semblait pas l'avoir troublé. Du moins, il ne le montrait pas. Comme le reste.

Avant de rentrer chez moi, je décide d'aller voir ma mère. Une façon comme une autre d'éviter de lire les cahiers de mon père. On ne s'est pas parlé depuis la visite chez le notaire. Mais ce n'est pas non plus comme si nous entretenions une grande relation. On s'aime à distance.

Depuis le décès de mon père, ça fait bizarre de gravir les marches de la maison familiale. L'impression d'une maison hantée, voire abandonnée. Les enfants sont tous partis l'un après l'autre. Il n'y a plus que ma mère qui y habite.

Je sonne à la porte. Les rideaux de la fenêtre du salon bougent. J'aperçois le visage de ma mère. Elle ouvre et sourit comme si elle était contente. On s'embrasse maladroitement. Nous n'avons pas l'habitude. Ce n'est que depuis quelques années que ma mère me fait la bise. J'ignore ce qui lui a pris, comment ou pourquoi l'idée de témoigner son affection lui est un jour arrivée. Je soupçonne la lecture d'un article dans une revue féminine ou pour personnes âgées. Trop de cynisme n'est pas bon pour la santé, je sais.

Nous allons nous asseoir dans la cuisine. Le salon a toujours été réservé aux étrangers. Elle me demande si je veux quelque chose à boire. Je vais me prendre un verre d'eau. Elle aurait voulu me le servir, mais je n'aime pas qu'elle le fasse.

On ne sait pas trop quoi se dire.

Elle me raconte qu'un des voisins a changé sa voiture, que la fille de madame Unetelle s'est mariée, qu'elle a acheté trop de jambon en spécial, alors, si je veux rester à souper…

— Tu savais que papa écrivait un journal ?
— Un journal ? Non…
Je lis la crainte dans ses yeux.
— Tu l'as lu ? me demande-t-elle.
— Un peu.
— De quoi ça parle ?
— De son travail, je suppose.
— Ah…
— Tu savais qu'il avait essayé de retrouver Charlotte ?
— …
— Tu le savais.
— Oui.
— Pourquoi vous m'en avez jamais parlé ?!
— Calme-toi, Jean…
J'ai poussé un profond soupir, puis je me suis levé et suis allé me poster devant la fenêtre de la cuisine.
— Ton père voulait pas que je t'en parle.
— Tu comptais m'en parler quand ? Parce qu'il est mort, là, je te rappelle.
— Sois pas si dur.
— …
— Ça fait longtemps, Jean.
— Ben oui, c'est ça. Tout le monde voudrait que j'oublie, que je passe à un autre appel, sinon c'est eux qui m'oublient.
— Tu te fais du mal pour rien.
— Pour rien ?!
— C'est pas ça que je voulais dire…
— Non, c'est sûr, t'as jamais su ce que tu voulais dire.
Je regrette aussitôt mes dernières paroles. Les yeux de ma mère s'embuent. Mon cœur se serre. Elle n'avait pas mérité ça.
— Je m'excuse…
— Le pire, c'est que t'as sûrement raison. J'ai jamais su comment vous parler…

Je la regarde sans savoir quoi ajouter. J'aurais souhaité pouvoir la contredire.

— Je pense que je vais y aller.

— T'es sûr que tu veux pas rester à souper ?

— Une autre fois, maman.

Sur le pas de la porte, elle m'embrasse.

— Prends soin de toi. On parlera plus la prochaine fois.

— Oui…

— Vas-tu garder l'agence ?

— Je sais pas encore.

— Il aurait aimé ça.

— J'imagine.

De retour chez moi, j'observe la pile de cahiers noir et gris sur mon bureau dans lesquels mon père parle, entre autres, de moi, de ma fille. Je n'arrive pas vraiment à lui en vouloir. Il est mort maintenant, à quoi bon ? Il ne me portait pas dans son cœur. Moi non plus. J'ai essayé. Lui aussi, sans doute, à sa manière.

En feuilletant les cahiers antérieurs à la disparition de Charlotte, je constate qu'il fait rarement mention d'autre chose que de son travail, même s'il en parle d'un ton personnel. Les pages sont traversées d'anecdotes du quotidien de l'agence. Il décrit ses clients à la manière d'un peintre du dimanche. C'est coloré sans être précis. Tandis qu'à d'autres moments sa prose ressemble à une liste d'épicerie tant il expédie les détails d'une enquête en cours.

Ça me rassure, au fond, de savoir qu'il a enquêté sur la disparition de Charlotte. Elle aimait bien son grand-père, même si elle ne le visitait pas souvent. Ça me faisait tout drôle de le voir parfois emmener sa petite-fille déjeuner au restaurant, la présenter fièrement à ses amis. Du temps où je vivais chez mes parents, il ne mangeait jamais avec nous. Il se levait aux aurores pour aller travailler. Avec les années, le matin, il avait pris l'habitude d'aller au restaurant, situé à deux pas de l'agence. Tout jeune, je me souviens d'avoir un soir dressé la table, en cachette, pour le lendemain : les assiettes, les couteaux, les cuillères, le pain et le pot de café instantané de mon père. J'avais envie de lui faire une surprise. Quand je me suis levé, mon père était parti. Sa tasse et son assiette étaient restées intactes.

Je ne sais pas si je dois lire les cahiers de mon père. Je ferais peut-être mieux de tous les brûler. Ça m'éviterait d'ouvrir des plaies. J'en ai déjà une qui suinte depuis mon premier survol.

Je ne connais qu'une façon de panser des blessures. Écrire. Inventer une histoire où Charlotte est partie, mais toujours vivante. Une douleur imaginaire.

J'ATTENDS DE TES NOUVELLES

Je n'ai pas vu ma fille, Marie, depuis six ans. Dès qu'un client entre, je lève la tête. Elle avait quinze ans la dernière fois. Je me demande si je vais la reconnaître. Nous avons convenu de nous rencontrer chez Juliette et Chocolat. Assis à une table près de la porte, je jette un œil à ma montre pour la douzième fois. Je suis en avance, mais nous sommes si en retard.

Il n'y a pas grand-monde pour un samedi après-midi. Dehors, il pleut. La pluie s'étire sur les vitrines du café, comme dans les films. La serveuse demande si je suis prêt à commander. Non, j'attends quelqu'un. Je dépose le menu. Des effluves de café et de chocolat embaument l'atmosphère. Le choix de l'endroit ne doit pas être innocent. J'ai aussi l'amertume sucrée. De la musique *lounge* joue en sourdine. Je ne peux m'empêcher de prêter l'oreille aux conversations anodines des tables voisines. Des gens en apparence heureux et sans histoire.

Je repense au jour où Marie et mon ex, Geneviève, sont venues chez moi, il y a six ans. C'était aussi un samedi. J'ignorais la raison de leur visite. Marie avait un cahier dans lequel elle avait inscrit des notes. Elle a pris une grande inspiration. Elle a balbutié qu'elle n'habiterait plus chez moi une semaine sur deux, comme c'était le cas depuis quinze ans, depuis toujours. Ma fille ne vivrait plus à la maison qu'une fin de semaine sur trois. La nouvelle a eu l'effet d'une mine antipersonnel. Mes bras sont tombés par terre. Ma mâchoire a heurté la table de cuisine. Mon cœur a volé en éclats. Je n'étais plus qu'un casse-tête de mille morceaux dont on avait égaré la boîte.

Affirmer que je ne l'avais pas vu venir serait un euphémisme. Quelques jours auparavant, ma grande fille de quinze ans me poursuivait dans la maison en riant pour me prodiguer des câlins. À moins que ce ne fût pour en recevoir. Je ne sais plus…

La voix chevrotante, Marie avait continué la lecture de ses notes. Elle donnait peu de raisons à sa décision. Elle ne se sentait plus bien chez moi, elle avait souvent mal à la tête. Marie se plaignait effectivement de maux de tête, mais il me semblait que cela lui arrivait aussi lorsqu'elle passait la semaine chez sa mère. Quand elle a mentionné que nous avions, elle et moi, un problème de communication, j'ai sursauté et ai répliqué : « Un problème de communication ? Moi, je n'ai pas de difficulté à m'exprimer. C'est toi qui refuses de discuter. Tu t'enfermes toujours dans ta chambre. »

Dialogue de sourds.

Blessé, je ne voulais plus rien entendre.

Je n'ai jamais revu Marie.

Jusqu'à aujourd'hui.

Une belle jeune femme entre dans le café et me sourit en fermant son parapluie. C'est plus fort que moi, je bondis de ma chaise et je vais à sa rencontre. Combien de fois ai-je imaginé la croiser par hasard dans la rue ? Chaque fois, ma réaction était différente. Un jour, je feignais l'indifférence ; d'autres, la colère, la joie. La peur aussi. J'avais été si déçu, au fil des années. J'ai tenté de la revoir à d'innombrables reprises. Je lui ai écrit des tas de courriels, qui sont souvent restés sans réponse. L'attente me rongeait. Je ne savais plus quoi inventer pour provoquer des retrouvailles. Je lui envoyais des messages gentils, offusqués, aimants, troublés… N'importe quoi pour la faire réagir. J'en suis devenu malade. Crises d'angoisse à répétition. Je vivais un immense chagrin d'amour. J'avais l'impression de la poursuivre à la nage, la nuit. Je la devinais, au loin, à bord d'une chaloupe. Quand j'avais le sentiment de m'en approcher, je redoublais d'efforts. Mais ce n'était qu'une illusion. Elle ramait vers l'horizon sous le clair de lune. Épuisé, j'ai dû me résoudre à la laisser aller, avant de me noyer.

Un peu gênée, Marie me permet de la prendre dans mes bras. Je la serre si fort. Puis, je l'embrasse sur les joues. À mon grand plaisir, elle en fait autant. Nous nous regardons un instant, les yeux pétillants.

— Maudit que t'es belle…

— Merci…

Nous allons ensuite nous asseoir. Marie plonge tout de suite dans le menu. Elle sourit en lisant à voix haute la description des desserts. J'aime son sourire. Le même qu'elle avait quand elle était bébé. J'ai néanmoins la sensation d'être en présence d'une étrangère. Je ne sais rien ou presque de sa vie de ces six dernières années. Nous discutons de tout et de rien. Nous faisons tous les deux semblant qu'il n'est rien arrivé.

Marie me raconte ses amours difficiles, son travail, ses études. Elle me parle d'argent, de beauté, de statut social. Nous sommes si différents. Je tente de n'en laisser rien paraître. Le sujet tabou entre nous me brûle les lèvres. Pourquoi est-elle partie ? Pourquoi n'est-elle jamais revenue ? Comment peut-on aimer quelqu'un pendant quinze ans, même une semaine sur deux, et tout à coup ne plus donner de nouvelles ?

Je sais que je n'aurai jamais de réponses à ces questions et ça me tue.

La serveuse nous apporte nos expressos allongés et nos morceaux de gâteau au chocolat et caramel fondant. C'est chaud et doux dans la bouche. Ça a le goût de l'enfance. Des souvenirs de Marie plus jeune surgissent. Les bricolages et les dessins qu'elle m'offrait, avec des becs et des cœurs. Les jeux de chatouilles. Les histoires avant de dormir. Où tout ça s'est-il envolé ? Si j'avais les ailes d'un ange, je partirais pour ce pays.

Pendant des mois, des années, j'ai échafaudé toutes sortes de théories sur les raisons qui avaient poussé Marie à ne plus me voir. Je me suis remis en question des milliers de fois. J'ai relaté mon histoire à tous mes amis, à toutes mes connaissances. Chacun avait ses conseils, ses explications. Mais, évidemment, personne ne comprenait ni n'avait la solution. Vous étiez si proches ! me disait-on souvent.

Après au moins deux bonnes heures à essayer de rattraper le temps perdu, nous convenons de nous revoir un de ces jours. Nous échangeons nos numéros de cellulaire. Sur le coup, je ne lui en parle pas, mais notre rencontre me rappelle l'émission *Les retrouvailles*, de Claire Lamarche, que nous regardions. Nous plaisantions en nous imaginant nous y présenter en pleurant, en prétendant espérer retrouver une chaussette égarée dans le lavage.

Dehors, je m'allume une cigarette. Marie s'étonne que j'aie encore ce vice. Il pleut toujours. Nous ouvrons nos parapluies et marchons ensemble jusque chez moi. Je n'habite pas très loin du café. Sur le pas de ma porte, je la prends dans mes bras et l'embrasse. On se salue en renouvelant nos promesses, comme si on les avait apprises par cœur.

Le temps passe.

C'est son anniversaire. Je décide de lui téléphoner, au lieu de lui envoyer un courriel comme d'habitude. Lorsqu'elle répond, je perçois de la nervosité dans sa voix. Je lui souhaite bonne fête. Elle m'avise qu'elle est chez des amis. Le souper va bientôt être prêt. Je la laisse en lui disant que je ne la dérangerai pas plus longtemps et que j'attends de ses nouvelles.

J'attends toujours.

Samedi 10 juillet

All the world's a stage, affirmait Shakespeare. Parfois, je me demande si le monde n'est pas que fiction. Chacun a son histoire. Elle s'entremêle aux autres et la « réalité » devient chorale. Un immense chant composé de plaintes, de prières, d'espoirs, harmonieux et dissonant, qui résonne dans les oreilles de qui ne se les bouche pas.

Contrairement à ce qui se passe dans mes pièces ou dans mes romans, je ne suis pas le maître de ma vie. Je ne peux décider du cours des événements en les qualifiant de rebondissements dramatiques ou d'éléments déclencheurs. Je ne contrôle pas mon destin ni sa fatalité. Mon unique pouvoir est de tenter d'infléchir les effets qu'ils auront sur moi. Seulement, je ne suis pas un surhomme.

Par exemple, j'aurais aimé avoir inventé la visite de Marcel, cet après-midi. J'aurais pu choisir ses paroles, leurs intentions et leurs conséquences. Mais ça n'a pas été le cas.

Je ne me suis pas méfié. J'avais raté l'heure du dîner, je n'avais pas envie de me bricoler à manger, alors j'ai commandé du poulet. Quand ça a sonné à la porte, il ne m'est pas venu à l'esprit qu'il puisse s'agir de quelqu'un d'autre que le livreur. En ouvrant, je suis resté interdit.

— Surpris de me voir ?

— …

— Tu attendais des fleurs ?

— Non, du poulet.

— Ah.

Nous sommes demeurés un moment à fixer la pointe de nos souliers.

— Je peux entrer ?

J'ai laissé la porte ouverte et je suis retourné m'asseoir dans mon bureau.

— Tu travailles à un nouveau roman ? me demanda-t-il en pointant mon portable.

— Non, pas vraiment. Je ne sais pas encore.

— Tu prends beaucoup de notes à ce que je vois, dit-il en avisant la pile de cahiers noir et gris.

— Ils étaient à mon père.

— Ah.

— Bon, vous allez tourner longtemps comme ça autour du pot ?

— Je m'excuse, Jean. Sincèrement.

— À propos de… ?

— Je suis désolé si j'ai pu te laisser croire que je pensais que tu étais l'auteur des inscriptions sur le mur de l'appartement.

— Mais j'en suis l'auteur !

— Oui, peut-être, mais je sais que c'est pas toi qui les as reproduites.

— Comment pouvez-vous en être si certain tout à coup ?

— Un ancien collègue m'a indiqué une autre scène de crime où l'on a retrouvé le même texte.

— Et qui vous dit que ce n'est pas moi qui me balade dans la ville, armé d'un crayon-feutre, courant les malades sanguinaires pour les enrôler dans ma secte ?

— Tu es bizarre, tu le sais, ça ?

— Merci du compliment.

— D'ailleurs, pourquoi tu me vouvoies toujours?

— Une manie. Je tutoie seulement mes amis.

— Ça a le mérite d'être clair.

— En effet, fis-je avec un sourire figé.

— Mon ancien collègue m'a téléphoné hier soir. Et hier soir, t'as pas bougé d'ici.

— Vous m'espionnez? De mieux en mieux…

— Replaçons les choses dans leur contexte…

— Quel contexte? explosai-je.

Marcel avait l'air de ne pas trop savoir comment réagir devant ma soudaine poussée d'adrénaline qui se répandait à grande vitesse dans tout mon corps, particulièrement dans mes poings.

— C'était probablement pas une bonne idée…, laissa-t-il tomber après un court moment.

Il se tourna et sortit de mon bureau. Je bondis de ma chaise et l'agrippai par le bras, le forçant à me faire face.

— Où allez-vous?

— Du calme…

— Vous pensez que vous pouvez débarquer chez moi comme ça, à l'improviste, faire quelques blagues et pas de problème?

— J'ai dit que j'étais désolé.

— Vous savez pour qui j'ai écrit ce texte?

— Non…

— Vous avez même pas eu la décence de me le demander. Eh bien, je vais vous le dire, ou plutôt vous l'« avouer », ça fera plus criminel. Je l'ai écrit pour ma fille.

Je lâchai son bras et retournai m'asseoir dans mon bureau. Marcel hésita à me suivre.

— Tu préfères que je te laisse seul?

— Je sais plus… Je suppose que ce serait mieux qu'on s'explique.

Il entra dans mon espace de travail, mais demeura près du seuil. Il attendait mes éclaircissements.

— J'ai vérifié dans mon ordinateur et je n'ai plus ce texte. Je me souviens d'avoir prêté mon portable à ma fille, le jour de sa disparition. Mes vieux travaux d'université étaient dedans. En fait, elle l'utilisait depuis quelques jours pour un devoir à l'école. Elle devait faire une présentation.

— Tu as donc aussi perdu ton portable.

— Oui.

— Tu n'avais pas de copie de sauvegarde ?

— Pas de tout. Ma bibliothèque de photos et ma musique se sont envolées. Le texte en question se trouvait sur une disquette. Je ne l'ai jamais transféré sur un CD. Je n'ai plus de lecteur de disquette. Bref.

— Tu as encore la disquette ?

— Peut-être quelque part dans une boîte. Cependant, j'ignore si le support fonctionnerait toujours. Ça fait quand même plusieurs années et je ne peux pas dire que j'en ai pris grand soin. Depuis, je sauvegarde tout sur disque dur externe et dans le nuage.

— Sage précaution.

— Oui. Mais de toute façon, ça n'a pas beaucoup d'importance que j'aie le texte ou pas, non ?

— Oui et non. On aurait pu comparer l'exactitude de la transcription, mais bon. Ce qui me chicote, c'est ton portable.

— Vous pensez que celui qui a enlevé ma fille serait le même qui…

— C'est une possibilité. Ton ordinateur aurait aussi pu être vendu dans les petites annonces ou chez un prêteur sur gages. Qui sait dans quelles mains il a abouti ?

— Mais pourquoi ce texte ? Et pourquoi s'en prendre à moi ?

— Ne va pas trop vite… Pour l'instant, rien ne nous permet de conclure que tu es visé. Enfin, tu n'as pas reçu de menaces ?

— Non, mais je trouve ça étrange que, depuis que je m'intéresse à cette enquête, tout à coup, un de mes textes surgisse sur des scènes de crimes !

— Commençons par le début. Pourquoi as-tu écrit ce texte en particulier ?

— Ce n'est qu'une histoire... À l'époque, ma fille était jeune et elle aimait les récits de peur.

— D'où le ton enfantin.

— Exact. Ça faisait référence à des « légendes » de mon enfance. Une rumeur courait selon laquelle un « maniaque » rôdait. Nos parents nous défendaient d'aller jouer dans un certain petit bois, car un évadé de l'asile psychiatrique y avait déjà trouvé refuge. Du moins, c'est que j'ai cru en comprendre. Bien sûr, l'interdit nous attirait. L'histoire a sans doute été amplifiée, résultat du téléphone arabe et de l'imagination fertile d'un peu tout le monde.

— Pourquoi un conte pour enfants ?

— Je suivais un cours de création en littérature jeunesse.

— C'est quand même particulier, une histoire de maniaque, pour les jeunes...

— Je m'étais aussi inspiré du film *M le maudit*, de Fritz Lang.

— Connais pas.

— C'est un vieux film expressionniste allemand. Le jeu des ombres est magnifique. Ça parle d'un type qui enlève des enfants et il siffle toujours le même air avant de commettre son crime.

— Joyeux...

— La plupart des contes classiques sont assez horrifiants. Songez à *Hansel et Gretel*, *Le Petit Poucet* ou *Le Petit Chaperon rouge*.

— Donc, on a un fêlé qui, ayant acquis ton portable, tombe sur ton histoire et perçoit ça comme un signe, un appel.

— C'est vous qui le dites... Mais ça se tient. Aussi inconcevable que ça puisse l'être. Seulement... Je peux pas m'empêcher de penser qu'il y a un lien entre la disparition de ma fille et ces atrocités.

— C'est une piste...

— Vous savez si les magasins qui vendent des ordinateurs usagés ont des registres ?

— Ouf… Je peux me renseigner, mais ça m'étonnerait.

— Je dois encore avoir la facture quelque part, dis-je en ouvrant un tiroir.

— Tu sauvegardes pas tes documents, mais tu conserves la facture d'un vieil ordinateur ?

— Je suis pas quelqu'un de très organisé. Je fais tout simplement pas souvent le ménage de mes papiers. Tenez, voici une facture d'épicerie d'il y a deux ans.

Dimanche 11 juillet

J'ai insisté pour aller voir la scène de crime où un deuxième extrait de mon conte avait été retrouvé. Marcel m'en avait donné peu de détails. Tout au plus qu'il s'agissait d'un meurtre. C'était déjà beaucoup, mais bon. Une fois sur les lieux, dans un petit appartement du quartier Centre-Sud, il m'expliqua que la victime était une jeune femme, plutôt jolie selon les dires de son ancien collègue. Ça peut sembler banal, mais tout peut avoir une importance dans ce genre d'enquête. L'assassin n'a pas tué n'importe quelle femme, il a supprimé celle-là. Le plus étrange, me confia-t-il alors que nous traversions le couloir conduisant à la cuisinette, c'est que le meurtrier avait prévenu avant de frapper. Il avait laissé un message sur le répondeur annonçant sa venue. Selon le légiste, la mort remontait à environ une heure après l'enregistrement.

— Pourquoi elle a pas appelé le 9-1-1 ? demandai-je.

— Elle aura peut-être cru à une blague. Tiens, écoute. Ils ont pris la cassette, mais j'ai pu faire une copie du message.

Marcel sortit son téléphone. Je regardais le répondeur, sur une tablette au-dessus la table, en imaginant la victime entendre la voix du tueur, plutôt un souffle, qui murmurait : « Je te surveille… Je te vois, des fois, la nuit, dans ton lit, à travers ta fenêtre, sur le balcon. T'es belle. J'ai envie de te tuer. »

— Elle a pris ça pour une blague ? m'étonnai-je.

— Les jeunes, tu sais… Sur le relevé téléphonique, on note qu'elle a appelé son chum une première fois à 22 h 10.

— Juste après le message sur le répondeur ?

— Apparemment, elle était pas à la maison à 21 h 57, l'heure où le message a été laissé. Les enquêteurs ont trouvé un sac d'un club vidéo dans le salon. La facture indique 21 h 51. Le club est un peu loin d'ici. On croit qu'elle s'y serait rendue en vélo.

— Si elle a voulu parler à son chum, c'est qu'elle était inquiète, non ?

— Peut-être. L'amoureux a affirmé qu'ils se téléphonaient tous les soirs. Il était à l'extérieur de la ville. Un musicien en tournée, selon le rapport. Puis, elle l'a rappelé à 22 h 28. Chacune des communications n'a duré qu'une minute. On peut penser qu'elle ne l'a pas joint. Ce qui a été corroboré par son chum. Elle est morte environ une heure plus tard.

— Comment ? questionnai-je en redoutant la réponse.

Marcel ouvrit une porte donnant sur la cuisine et m'entraîna dans la seule chambre à coucher. Le lit n'était pas défait. La couette fleurie était couverte de sang. Sur le mur du fond, mon texte me sauta au visage. *Dans l'histoire, je veux qu'il y ait un couteau, un maniaque, du sang et un château.* Dans le portrait, il ne manquait que le château…

Dans mon conte, une petite fille demandait à son grand frère de lui raconter une histoire de peur. C'était un défi. Elle soutenait que rien ne lui faisait peur. Son grand frère, trop heureux, relevait le défi et lui décrivait la disparition de certains des amis de sa sœur, des enfants qui ne voulaient pas dormir, comme elle ce soir-là. Et chacun était, bien sûr, une victime du vampire nain habitant dans un château. Il les tranchait en rondelles avec son couteau, les jetait dans une marmite et les mangeait. Le classique de l'ogre revisité. Sauf que, cette fois-ci, l'ogre était réel.

— Et si tu te le demandes, oui, il en a coupé des morceaux, me précisa Marcel.

Tout à coup, je ne me sentais vraiment pas bien.

Je suis allé sur le balcon, attenant à la cuisine, pour prendre l'air. Une minuscule table verte en plastique, deux chaises en toile jaunies par le soleil, un petit grill au charbon de bois, et une vue sur la ruelle sale et les voisins d'en face. Romantique. Là, j'ai vu la fenêtre de la chambre, celle dont le tueur parlait dans le message sur le répondeur. Pas de doute, il était déjà venu ici. L'arrière de l'appartement était facilement accessible par la ruelle. Il suffisait de pénétrer dans la cour et de monter l'escalier circulaire en fer forgé jusqu'au troisième. La porte du balcon ne possédait pas de verrou, seulement un crochet. Je n'ai pas remarqué de traces d'effraction. Marcel est venu me rejoindre.

— Ça va ?

— Oui, un peu. On sait comment il est entré ?

— Non. Et les voisins interrogés ont eu connaissance de rien.

— Évidemment…

— La seule piste, c'est ton texte.

— Les policiers savent que j'en suis l'auteur ?

— J'ai rien dit.

— Merci…

J'aurais dû le deviner. Je n'avais reçu aucune visite de policiers après la première apparition de mon conte. Marcel m'avait protégé. J'étais soudain mal à l'aise d'avoir douté de lui.

— Ils ignorent aussi, pour le journal que Lucien a retrouvé.

— Et les animaux mutilés dans le boisé ?

— Des équipes différentes. Ils n'ont pas l'air d'avoir fait de liens, encore.

— Pourquoi ne pas donner toutes ces informations à la police ?

— J'ai mes raisons…

— Vous pensez qu'un policier pourrait être impliqué ?

— J'ai pas dit ça.

— Pourquoi alors ?

— J'ai mes raisons, je te dis, répliqua-t-il sèchement.

Après un temps à le jauger, je me risquai :

— Ça vous tenterait d'aller prendre un verre ?

En chemin, je lui ai parlé du journal de Sébastien Marchand et des cauchemars qui venaient hanter mes nuits depuis que je l'avais lu.

André m'a parlé de sa théorie de la tague malade. Le mal ne vit pas par lui-même, qu'il dit. Celui qui l'a doit le chérir, le faire grandir, en prendre soin. Et le transmettre. Comme un cadeau. Non, plus que ça. Une offrande. Les victimes sont pas importantes. En fait, y a pas de victimes. C'est juste des instruments vers la réalisation. La puissance. La rédemption par le mal. L'Homme total. J'ai pas toute compris. Mais il m'a dit que ça viendrait. C'est la réaction en chaîne. Tu allumes le feu. Même si c'est juste une brindille. Le feu va trouver un moyen de se propager. C'est sa force. Ta force. Je l'ai vu à l'œuvre. André a tué quelqu'un. Le feu a pogné. Un autre a été brûlé. Cet autre-là, si c'est pas un initié comme nous autres, il saura pas quoi faire avec son feu. Il va se brûler. Mais quand tu contrôles le feu, tu brûles pas, tu t'enflammes. Tu irradies. Tu deviens une source de lumière. Tu attires. Comme lui m'a attiré. C'est fort. Je le sens dans moi. Le feu cesse tranquillement de me brûler. La blessure est normale au début, que m'a dit André. Ton mal, c'est pas le mal. C'est de la souffrance. C'est quand tu souffres plus pantoute que tu te dépasses. Tu sens plus rien. Tu sens tout. T'es plus fort que le feu. Et quand t'es un vrai initié, comme lui, tu peux aider, guider quelqu'un qui a été touché par le feu, mais qui sait pas quoi faire avec. Quand André a tué le gars, après on a suivi sa blonde. Juste pour voir l'effet du feu. Ça prend des bons yeux. C'est pas tout le monde qui peut le voir. Il m'a montré comment. Je l'ai vu, le feu, dans la fille. André aurait pu l'aider, mais il voulait me montrer la puissance du feu. La fille voulait se débarrasser du feu. Mais pas comme nous autres. Comme une blessée. Au moins, le feu se répand. Faut juste pas le laisser s'éteindre.

Marcel Deschamps et moi sommes retournés à mon appartement. Dans ma minuscule cuisine, une armoire contenait mon nécessaire de survie : porto, scotch, whisky, vodka. Nous avons été sages et nous avons pris un verre de porto dix ans. J'avais des amandes grillées au tamari et du cheddar vieilli. Il est souvent arrivé que mon souper consiste en ce repas frugal, couronné de chocolat noir pour dessert, histoire de terminer la bouteille de porto.

— Quel genre de trucs tu écris ? m'a-t-il demandé après notre deuxième verre.

— J'ai écrit du théâtre pendant longtemps, puis des romans jeunesse.

— Et ça parle de quoi ?

— Certaines personnes disent qu'un auteur écrit toujours le même livre, reprend les mêmes thèmes. De mon côté, j'essaie de me renouveler.

— Il doit bien y avoir une signature Jean Royer.

— J'aime le fantastique.

— Tu écris de la science-fiction ?

— Non. Pas ce genre de fantastique. Par exemple, pour moi, Paul Auster est un écrivain fantastique. Le hasard, dans son œuvre, apporte cette touche. Michel Tremblay a d'abord écrit du fantastique. On fait souvent référence à la tragédie grecque dans son cas, mais sa façon de l'utiliser, dans ses pièces et plusieurs romans, donne un aspect fantastique. Je pense, entre autres, aux tricoteuses dans ses chroniques du Plateau-Mont-Royal ou encore aux lunettes d'un des personnages de sa pièce *En pièces détachées*. On a parlé de réalisme magique, comme dans le cas de García Márquez. Mais pour moi, tout ça, c'est de la littérature fantastique. À vrai dire, la réalité m'ennuie. Je crois qu'il faut aller au-delà pour mieux l'éclairer. Plusieurs écrivains de science-fiction sont de réels visionnaires, pour ne pas dire des génies, et mériteraient leur place dans la Pléiade. Enfin, selon moi.

— Et toi, dans tout ça, tu te situes où ?

— Moi ? Nulle part, je suppose. J'ai juste essayé de gagner ma vie, avec tous les compromis que ça comporte.

— Tu te considères pas comme un vrai écrivain ?

— Ce serait aux autres de le dire. J'ai, semble-t-il, assez de talent pour être joué et publié. Mais encore là, tant de choses sans grand intérêt sont produites : peut-être que je fais partie de ce lot.

— Tu as eu de bonnes critiques ?

— Oui, des bonnes et des moins bonnes. Je peux me faire encenser par l'un et rabrouer par un autre, pour la même pièce ou le même roman. Difficile de savoir qui dit vrai. Je les envie pas, c'est un métier difficile. Moi, je me vois plus comme un artisan. J'écris comme un plombier ou un ébéniste. Je suis fier quand mon ouvrage est bien fait, quand le travail paraît pas. Au théâtre, le spectateur n'a qu'une seule occasion pour comprendre la réplique. Il peut pas la relire, la savourer. Il faut qu'elle soit efficace. Écrire, c'est communiquer. Il y a des auteurs qui se font remarquer par leur virtuosité. Je trouve que c'est plus facile de donner dans l'esbroufe pour épater. Je suis peut-être trop humble.

— Ou tu manques de confiance…

— Possible. Je doute constamment.

Je ne m'attendais pas à discuter littérature avec Marcel et encore moins à lui exposer des côtés troubles de ma personnalité.

En l'invitant chez moi, j'avais plutôt en vue d'en apprendre plus sur son compte. Il savait me mettre à l'aise pour me tirer des confidences.

— Bref, je me suis toujours expliqué le monde par des métaphores, des histoires.

— C'est ta façon de comprendre la réalité ou de la fuir ?

— Un peu des deux, j'imagine. Et vous, pourquoi la police ?

— Un concours de circonstances... On dit qu'on peut tout aussi bien devenir bandit que policier. J'ai fini par choisir la deuxième option.

— Un brin délinquant ?

— Oui et non. Rebelle... révolté... L'adolescence qui perdure, quoi. Mon père travaillait dans la police. J'étais grand et gros. Dans ce temps-là, c'était pas compliqué. Mais j'aimais pas tellement ça. Je m'entendais pas très bien avec tous les patrouilleurs... Un jour, j'ai rencontré Lucien. Il était maître-chien. Et, pour faire une histoire courte, j'ai été muté dans la brigade canine.

— Vous aviez plus d'affinités avec les chiens, dis-je en souriant.

— Si on veut, oui. Les animaux accrochent pas les humains à des arbres pour les mutiler. Parlant de ça, à part tes cauchemars, t'en es où dans la lecture du journal du malade ?

— J'en lis des bouts, au hasard.

— Faudrait s'y mettre plus sérieusement. Essayer de dénicher une piste, un lien avec ton texte.

— Oui, vous avez raison.

Premier jour de liberté. J'ai couché dehors pour la première fois de ma vie, pas de tente ni rien. À la belle étoile, comme y disent, mais ben des nuages pis de la pollution. Y a rien qui brille sauf les lampadaires. C'est mieux que le plafond blanc plein de craques de ma chambre du centre d'accueil. Avant, c'était ça ma carte du ciel, et les étoiles filantes que je voyais passer, c'était les flashlights des surveillants. Le seul vœu que tu fais, c'est de sortir de là. Je me suis exaucé. Pas de danger que mon vieux me cherche. Y m'a crissé dehors, c'est pas pour que je revienne. Pis les bœufs du système sont sûrement pas trop pressés de me retrouver. Fait que c'est ça, chus libre. Hostie.

— On pourrait commencer par dresser une liste des informations que nous avons jusqu'à présent.

— Bonne idée.

Je me suis levé pour aller dans mon bureau. Je n'avais pas dit à Marcel que je tenais une espèce de journal de l'enquête. Je n'en voyais pas la nécessité. Au fond, j'enquêtais aussi sur moi et je préférais garder ça pour moi. J'ai ouvert le tiroir de mon imprimante pour en retirer quelques feuilles de papier et j'ai saisi deux stylos qui traînaient dans ma bibliothèque. En me retournant, j'ai jeté un œil à la pile de cahiers de notes de mon père. Je n'en avais pas poursuivi la lecture depuis le premier jour. Je jugeais que ce n'était pas vraiment utile. Toutefois, à la lumière des récents événements, j'avais l'intuition que la disparition de ma fille avait un rapport avec la présente série de meurtres, ne serait-ce que par l'apparition de mon texte sur les lieux de deux crimes. Charlotte avait été la dernière personne en possession de mon portable. Je n'aimais pas y songer, mais cette pensée s'incrustait de plus en plus. Peut-être que l'enquête de mon père apporterait des révélations à ce sujet. J'hésitais à plonger dans ce passé et je n'avais pas envie de me farcir, en plus, les commentaires acerbes du paternel à mon égard. Je pourrais les confier à Marcel, il en serait sans doute très heureux. Seulement, ça me mettait mal à l'aise de lui donner les clés de mon intimité. À ce moment, j'ai pris la décision de me concentrer uniquement sur les cahiers datant de la disparition de Charlotte. J'aurais bien le temps, plus tard, de me torturer avec le reste.

Je suis revenu dans la cuisine avec les feuilles et les crayons. J'ai constaté que Marcel s'était servi un autre verre.

— Pas si mal, ce porto, hein ?

— Désolé, j'ai pas pu résister.

— C'est fait pour ça.

Je me suis allumé une cigarette et j'ai pris une gorgée de velours.

À la fin de l'exercice, nous avions chacun une liste pêle-mêle, que nous avons comparée. Sur une autre feuille, nous avons transcrit nos résultats, en ordre, en éliminant les redites.

· Texte université.
· Charlotte, portable, texte.
· Un dénommé André, gourou.
· Chien mutilé chez Lucien.
· Journal d'un Sébastien Marchand.
· Mutilation d'animaux — petit bois.
· Deux propriétaires identifiés : Lucette et Marcel, quartier Rosemont.
· Mutilation d'un sans-abri au centre-ville, oreille trouvée en la possession d'un Sébastien Marchand, Verdun.
· Mort de ce Sébastien Marchand et de ses parents. Meurtres et suicide ?
· Chien mutilé dans un appartement du quartier Centre-Sud. Texte.
· Meurtre et mutilation d'une jeune femme, quartier Centre-Sud. Texte.

Lundi 12 juillet

J'ai fait une bonne partie de mes devoirs, hier soir, jusqu'à tard dans la nuit. Je me suis quand même levé relativement tôt, l'esprit vif avec des pensées troubles. J'ai téléphoné à Roger et je lui ai demandé qu'on se voie pour discuter de l'enquête de mon père concernant Charlotte. Nous avons convenu de nous rencontrer demain après-midi. Aujourd'hui, il se livrait à une filature pour le compte d'une entreprise qui soupçonnait un de ses employés en congé de maladie de n'être pas dépressif. Il allait suivre l'individu dans ses moindres déplacements et le photographier chaque fois qu'il sourirait. Je me suis abstenu de tout commentaire. Dire que mon père a passé sa vie à servir de faire-valoir à ce genre d'entreprise ! Comment a-t-il pu me juger ? L'argent ne règle pas tout.

Aujourd'hui, j'ai relu mon « journal ». Je crois qu'il y a matière à publication. D'autant plus avec ce qui s'en vient. J'ai retouché des passages. Je récrirai quand l'enquête sera terminée. Si elle se termine. Enfin, je verrai. Il me faudra bien y mettre un point final un jour ou l'autre, que ça se termine bien ou mal. Comme le journal de mon père.

Une semaine. Ça a pris sept jours avant que mon fils me mette au courant. Et là, il voudrait que je remue ciel et terre pour retrouver sa fille. On dirait qu'il pense qu'il n'y a que lui qui souffre. À aucun moment il m'a demandé comment je prenais ça. Je ne la voyais peut-être pas aussi souvent que j'aurais voulu, mais ça m'empêchait pas de l'aimer, moi aussi. Je sais plus quoi penser. En revenant à la maison, j'ai vu Monique qui préparait le souper, comme d'habitude. Jean lui avait rien dit, à elle non plus. Sinon, elle serait en train de pleurer. Maudit que j'haïs cet enfant-là, des fois. Le soleil tourne autour de son nombril. Je comprends pas pourquoi il nous a pas appelés avant. Qu'est-ce qu'on lui a fait? Jean dit qu'il voulait pas nous énerver avant d'être sûr. Sacrament… Il a passé la semaine sur les pilules à pas dormir. Et nous autres, maintenant? Quand je l'ai appris à Monique, j'ai cru qu'elle allait fendre en deux sur le sens de la longueur. Elle est tombée dans mes bras, sinon elle serait tombée en pleine face sur le plancher. Je les ai pas, les mots, comme Jean, pour la réconforter. On s'est assis à terre. Dans le silence. Comme une couverture de plomb sur nous deux. Ça réchauffe pas le cœur. Mais c'est le mieux qu'on avait pour pas trop s'entendre brailler. J'ai promis à Monique que je ferais tout pour la retrouver, notre Charlotte. Quand ça ferait moins mal.

À matin, je suis parti de bonne heure. J'avais pas le goût de déjeuner chez nous. De toute façon, Monique savait que je resterais pas. Au restaurant, Leduc était déjà là. Il savait. Il nous avait entendus, hier. Il en avait parlé avec Levasseur. Ils étaient prêts à travailler gratis et faire de l'*overtime* pour m'aider. J'ai dit: parfait. Il nous fallait un plan. J'allais appeler le responsable des disparus. Ils font jamais grand-chose *anyway*. On avait juste besoin de quelques informations, entre autres la dernière fois qu'elle a été vue et par qui. Je m'arrangerais pour aller chez Jean et fouiller dans les affaires de Charlotte. Carnet d'adresses, journal intime, photos, ordinateur… Ça risque d'être difficile. Leduc a parlé d'essayer de faire passer ça pour une effraction de domicile. Je suis pas trop chaud à l'idée. Jean a vécu assez de malheurs de même. Évidemment, je pourrais lui en parler à Jean, mais j'ai pas envie qu'il se mêle de notre enquête. Il va être dans nos pattes tout le temps et je serai pas capable de le contrôler. Si on a des preuves, un moment donné, j'aviserai. Maudit que c'est pas facile de marcher avec son cerveau quand son cœur fait du bruit.

Mardi 13 juillet

J'ai ouvert mon ordinateur ce matin et voici le courriel que j'ai reçu la veille, tard dans la nuit.

De: Charlotte Royer Cloutier <clochette92@hotmail.com>
À: JEAN.ROYER@gmail.com
Date: 13 juillet 1 h 23
Objet:

Allô papa

Mon cœur a bondi dans ma poitrine. C'était bien l'adresse de Charlotte. Était-ce possible ? Ma fille, vivante ? Je n'arrivais pas à le croire. Quelqu'un me jouait un tour de très mauvais goût. Toutefois, une partie de moi voulait y croire. Peut-être était-elle captive quelque part et elle avait pu avoir accès à un ordinateur ; elle n'aurait eu le temps d'écrire que ces deux mots avant que son ravisseur ne la surprenne.

Plus j'y pensais, plus je me disais que ça se pouvait. Charlotte n'était pas morte. D'ailleurs, signe du destin, hier, aux nouvelles, on parlait de trois femmes qui avaient été kidnappées et qu'on venait de retrouver près de dix ans plus tard ; elles avaient été séquestrées pendant tout ce temps dans la maison d'un homme, aux États-Unis, sans que les voisins se rendent compte de rien.

J'ai téléphoné aussitôt à Marcel.

— Bonjour.

— T'es matinal…

— Est-ce que la police est capable de trouver la provenance d'un courriel ?

— Euh… Oui, en principe.

— Comment, en principe ?

— La réalité, c'est pas comme dans les films d'espionnage.

— Oui, mais c'est faisable ou pas ?

— Qu'est-ce qui se passe, Jean ?

— J'ai reçu un courriel de ma fille.

Il y a eu un long silence.

— T'es certain ?

— Non, je suis pas certain ! Comment voulez-vous que je le sois ? Mais le courriel provenait bien de son adresse.

— J'arrive.

J'ai appelé Roger pour annuler notre rendez-vous prévu en après-midi. Les détails concernant l'enquête de mon père venaient de descendre dans ma liste des priorités. Puis, j'ai fait des recherches sur Internet. Je suis loin d'être un expert en informatique. Pour moi, un ordinateur, c'est une machine à écrire avec des fonctions pratiques. J'ai sauvegardé dans mes favoris les sites qui décrivaient comment s'y prendre pour trouver l'origine d'un message. Je n'y comprenais pas grand-chose. J'espérais que Marcel serait mieux outillé que moi sur le sujet. C'est en songeant à ça que j'ai réalisé que mes attentes seraient sans doute déçues. Je n'avais pas remarqué d'ordinateur dans la maison de Marcel. Ça ne voulait peut-être rien dire. Je n'avais quand même pas fouillé partout chez lui. Il en possédait probablement un. Tout le monde en a un. Même les vieux à la retraite. J'étais trop anxieux pour réfléchir clairement.

J'aurais dû appeler la police, mais je doutais de la réaction de l'enquêteur qui avait été chargé du dossier. Ça ne s'était pas bien passé entre nous. Il m'avait toujours donné l'impression, pour ne pas dire la certitude, de me prendre pour un imbécile. Faut avouer que je le lui rendais bien. Avec ce policier, le dicton « Quand le sage pointe la lune, l'idiot regarde le doigt » s'appliquait à merveille. Il était un cliché sur deux pattes de la brute épaisse remplie de préjugés. J'étais un artiste, donc un parasite nuisible, pour rester poli. Selon lui, j'avais nécessairement des mœurs légères, voire étranges. Bref, un sale con. Je n'avais pas trop envie de reprendre contact avec lui.

Marcel se pointa chez moi une heure plus tard ou, plus précisément, trois mille six cent quatre-vingt-deux secondes plus tard. Je les ai presque comptées, comme le supplice de la goutte d'eau. À mon visage crispé, il comprit.

— Désolé si j'ai mis plus de temps que prévu, s'excusa-t-il. Avant de venir, j'ai parlé avec un ancien collègue de l'informatique.

— Et ?

— On peut essayer certains trucs, on verra ce que ça donnera. Sinon, il a consenti à nous aider. Chez lui, pas au poste, tu comprends.

— Oui. Allons-y.

— Chez lui ?

— Non… Allons voir mon ordinateur.

— Ah. Oui, oui.

Je laissai Marcel manipuler la bête. Il plaça un calepin rempli de notes sur le bureau. Pour moi, ça avait l'air de hiéroglyphes. Il m'expliquait ce qu'il faisait au fur et à mesure. Il prononça des mots qui sonnaient comme *traceroute*, *ping*, *proxy*, *whois*… Je renonçai bien vite à saisir de quoi il s'agissait exactement.

— Selon les informations dont je dispose, je pense qu'on peut conclure que le courriel a effectivement été envoyé de l'adresse de ta fille.

— Ah oui…

— C'est aussi possible que son compte ait été piraté.

— Qu'est-ce que vous voulez dire ?

— Quelqu'un aurait pu s'emparer de son mot de passe pour usurper son identité.

— Mais comment ?

— Il existe bien des façons : virus, cheval de Troie, *phishing*… On voit ça souvent sur Twitter, entre autres. Les comptes Hotmail aussi. Le hacker envoie un spam à tout le monde.

— Oui, mais là, on parle pas de pourriels. Ce message s'adresse à moi !

— En effet…

— Donc, ça se peut que ce soit ma fille…

— Ou la personne qui a ton vieux portable en sa possession.

Je me permets d'employer un cliché de circonstance : le mystère demeurait entier.

Quoi qu'il en soit, il me fallait maintenant considérer que celui qui détenait mon ordinateur avait quelque chose à voir avec les meurtres et la disparition de ma fille. Je ne voulais toujours pas conclure à sa mort. Un mince espoir qu'elle soit toujours en vie demeurait. Une question persistait : pourquoi s'en prendre à moi ? Pourquoi ce malade transcrivait-il des extraits de mes textes sur les lieux de son crime ? Ce qui amenait une autre question : sa fixation durait-elle depuis des années ou était-elle récente ? Pour le savoir, il faudrait demander aux policiers. Marcel promit de s'en charger. Toutefois, la démarche risquait de prendre du temps. Fouiller dans les centaines, voire les milliers d'enquêtes des dernières années s'annonçait être une tâche plutôt laborieuse. À moins que ce détail, mes textes sur des murs, fasse déjà l'objet d'une investigation, ce dont doutait Marcel, sinon la chose lui aurait été signalée. Pour l'instant, il nous paraissait plus important de concentrer nos efforts à trouver d'où provenait le courriel portant l'adresse de Charlotte. Cependant, j'hésitais à remettre mon portable à Marcel afin que son expert en explore les entrailles. Il m'avait prévenu que l'opération pourrait durer quelques jours. Toute ma vie ou presque était dans cet ordinateur, et je craignais aussi que Charlotte (ou son ravisseur) ne tente de me contacter de nouveau.

— Et si je répondais au courriel?

Étrangement, cette possibilité ne m'avait pas encore traversé l'esprit.

— De deux choses l'une: soit tu reçois un message, soit t'en reçois pas. Dans les deux cas, tu seras jamais certain si ç'a été écrit par ta fille.

— Si je lui demandais quelque chose dont elle est la seule à connaître la réponse?

— Je sais pas, Jean…

Je voyais bien, dans ses yeux, et dans le ton de sa voix, que Marcel craignait que je sois déçu, que l'attente d'une réaction me ronge jusqu'au désespoir. Il n'avait pas tort. Mais qu'avais-je à perdre, outre la raison?

De: JEAN.ROYER@gmail.com
À: Charlotte Royer Cloutier <clochette92@hotmail.com>
Date: 13 juillet 8 h 42
Objet: Papa

Quelle est la première chose que j'ai faite quand tu es née?

Mercredi 14 juillet

Avant de remettre mon ordinateur à Marcel, je me suis assuré de sauvegarder toutes mes données sur mon disque dur externe. Si, entre-temps, je recevais un message de l'adresse de Charlotte, l'informaticien m'aviserait aussitôt. Je ne voulais toutefois courir aucun risque. À l'agence, j'avais repéré un portable datant du précambrien, mais du moment que je pourrais écrire et être connecté à Internet, ça irait.

Je me suis présenté au bureau après les heures d'ouverture. Je n'avais pas envie de croiser Roger ou Fernand. Arrivé devant la bâtisse, j'ai remarqué une lueur émanant d'une des fenêtres. Un rapide coup d'œil alentour me dévoila la voiture de Roger, stationnée tout près. J'ai failli faire demi-tour, mais j'avais trop besoin d'un ordinateur. J'inventerai une excuse, me suis-je dit. Après tout, je suis écrivain.

Seulement, je ne suis pas un très bon menteur. Mes histoires ont toujours un fond de vérité. Je la trafique, la transpose, l'enjolive ou l'enlaidit, mais, au bout du compte, elle demeure vraie, même si, au final, tout est faux. Sauf pour ce journal, qui constitue ma première incursion dans ce que certains appellent l'autofiction.

Un bon mensonge part d'un fait vérifiable. Le reste n'est souvent qu'omission. Je n'étais pas obligé de tout raconter à Roger au sujet de mon portable. Je n'avais qu'à lui dire qu'il était en réparation chez un informaticien. Je ne voyais pas pourquoi il me poserait plus de questions.

Ce n'est pas le manque de crédibilité qui nous trahit. C'est la manière. L'attitude. Le regard qui fuit. Le corps qui se crispe. La conscience qui nous travaille. Le bon fabulateur est sans morale, ou alors il sait la mettre de côté lorsque ça l'arrange ; il la cache sous le tapis en prévenant que le plancher n'est pas droit. On est touché par son attention sans se rendre compte de sa fourberie. Il ne ment pas. Le plancher a réellement des bosses par endroits. Il n'en divulgue simplement pas la cause.

À mon entrée dans le bureau, Roger a relevé la tête de ses dossiers. Il n'avait pas l'air surpris de me voir, même qu'il paraissait plutôt content. C'en était fait de moi. Je me suis senti coupable. J'ai bredouillé mon excuse pour justifier ma présence. Roger a haussé les sourcils. Il me fixait sans rien dire. J'avais l'impression de subir un interrogatoire silencieux. Ses yeux étaient deux puissantes ampoules braquées sur moi. Je commençais à avoir chaud.

— Pourquoi est-ce si urgent ? me demanda-t-il finalement.

— C'est que… C'est que je suis en train d'écrire un truc.

— Un truc ? Tu fais de la magie ?

— Si on veut. Une histoire magique, blaguai-je pour donner le change.

— Fais comme chez toi, dit-il en m'indiquant le portable antédiluvien.

J'ai débranché les fils avec empressement.

— Tu devrais vérifier s'il fonctionne bien. Ça fait un bout de temps que ton père s'en est servi. En fait, il l'utilisait presque jamais. Il préférait son bon vieux stylo.

Je ne sais pas pourquoi je n'y avais pas pensé. Pourtant, il n'y avait que trois ordinateurs à l'agence. Un pour chacun, donc. Celui-ci était posé sur un des classeurs. Ma tête n'avait pas fait le lien.

— Oui, vous avez raison, répondis-je en rebranchant l'appareil.

Ça me faisait bizarre d'imaginer mon père en train d'écrire sur cet ordinateur.

— Au fait, qu'est-ce qui arrive avec la vente de l'agence? s'enquit Roger.

— Pas grand-chose pour l'instant.

— Je dis ça parce que j'en ai parlé avec Fernand et, si c'est une question de manque d'argent, on serait prêts tous les deux à investir avec Marcel Deschamps. On a pas de grosses économies, mais quand même assez je crois. Enfin, faudrait voir l'offre de Marcel.

— Honnêtement, j'ai pas eu le temps de me consacrer à ça dernièrement.

— Ton livre?

— Quoi, mon livre?

— T'es occupé à écrire.

— Ah… Oui.

— T'as pas l'air certain?

— Non, non… Oui, je veux dire.

— C'est indiscret de te demander de quoi ça parle?

— Bonne question… Du mal, je pense.

— Du mal? Comme dans les histoires de démons et d'exorcismes?

Je souris.

— Y a des démons intérieurs et probablement une forme d'exorcisme dans l'écriture.

— Oh. Un livre songé.

— Je sais pas. Peut-être.

— Moi, je lis sûrement pas autant que toi, mais j'aime bien les romans historiques. De temps en temps. Ça relaxe du monde. Toi, c'est quel genre?

Je voyais bien que Roger ne lâcherait pas le morceau. Il tournait autour de moi avec ses questions sur un ton badin, attendant le bon moment pour me poser celle qui le démangeait. Et puis, j'en avais assez de faire semblant.

— J'écris un journal sur l'enquête.

— Quelle enquête ?

Je lui résumai alors les derniers rebondissements : mon texte sur des murs, le chien mutilé dans l'appartement, le meurtre de la fille, en plus du courriel de Charlotte…

— Je comprends. Ça fait beaucoup en même temps, dit-il. Tu dois avoir hâte de te débarrasser de l'agence. En tout cas, moi, j'ai hâte que tu prennes une décision. Sinon…

Et c'est là que je me suis mis à pleurer à gros sanglots.

Jeudi 15 juillet

Je n'avais jamais pleuré pour vrai en présence de quelqu'un auparavant. J'ai souvent été attendri jusqu'à verser des larmes durant un film, mais ça n'avait rien à voir avec la crise que j'ai pétée devant Roger. J'étais incontrôlable. Et lui ne savait pas quoi faire. Mais je m'en foutais. Je criais tant j'avais mal à l'intérieur. Je vomissais des émotions refoulées. À un moment, j'ai ouvert les bras et je me suis jeté sur Roger comme sur une bouée en haute mer. Je crois que je l'aurais frappé avec mes deux poings s'il avait eu la mauvaise idée de me repousser.

Peine et rage.

Après je ne sais combien de temps, la tempête a fini par se calmer. Roger ne m'avait pas lâché. Il me frottait encore dans le dos. Je n'avais pas vécu pareille commotion depuis des années.

Je me dépêtrai de l'étreinte de Roger et tout ce que je trouvai à balbutier fut: « Désolé. » Il passa derrière son bureau, ouvrit le tiroir du bas et en sortit une bouteille.

— Scotch ? me demanda-t-il en remplissant un verre.

— Euh… Non, pas maintenant. Mais merci.

— Ça te dérange pas si je me sers ? dit-il avant de prendre une gorgée.

Je souris. Sa réaction à ma flambée d'émotions me fit penser à une de mes comédies préférées, *Planes, Trains and Automobiles,* avec Steve Martin et le regretté John Candy. Un matin, forcés de partager le même lit, les deux types se réveillent couchés en cuillère. Aussitôt, ils bondissent hors du lit et se mettent à causer de football et autres sujets censés être des plus virils.

Je n'ai jamais été à l'aise avec les hommes. Avec la plupart de mes congénères, les confidences ne surviennent bien souvent qu'au prix de plusieurs verres d'alcool. Alors qu'avec les femmes, c'est tout le contraire. L'intimité se crée aisément. Plus jeune, dans les fêtes de famille, je restais à la cuisine et j'écoutais les conversations des femmes, tandis que les hommes parlaient de mécanique au salon. Ce n'était pas tant ce que mes tantes racontaient que la façon qu'elles avaient d'aborder les choses. Une simple visite chez le coiffeur devenait une aventure palpitante pleine d'espoir, de craintes et de détails croustillants ; les échanges entre mes oncles étaient aussi emballants que la récitation du catalogue de Canadian Tire.

— Tu devrais oublier tout ça et te reposer un peu, me suggéra Roger.

Je secouai la tête.

— Je peux pas…

— Au moins quelques jours, non ? Ça peut que te faire du bien.

— C'est pire quand je fous rien.

— En tout cas, je crois que tu devrais en parler avec quelqu'un.

— Peut-être…

Mais au lieu de ça, je suis rentré chez moi avec le portable de mon père.

J'ai fait une folie. J'ai appelé mon ex.

— Allô ?

— C'est moi.

— Jean ? Qu'est-ce que tu veux ?

— Je sais pas. Je pensais à toi.
— Et à Charlotte…
— Lucie, j'aurais besoin qu'on se voie.
— Tu sais comment ça finit à chaque fois…
— Tu penses jamais à moi, à nous deux ?
— Tu sais que c'est faux. Mais… J'essaie d'oublier.
— De m'oublier.
— De nous oublier. Toi, moi, Charlotte.
— Qu'est-ce qui nous est arrivé ?
— Tu le sais…
— Juste une fois…
— Non, Jean. Ça me fait trop mal.
— Mon père est mort.
— Je sais. Ta mère m'a envoyé une carte.
— Et tu m'as pas appelé !
— Pour te dire quoi ? Tu l'aimais pas, ton père.
— Quand même…
— Pour qu'on ait une autre discussion sur la mort ? Pour qu'on pleure encore ? Je suis plus capable, Jean. Non, plus capable.
— Je comprends, Lucie.
— Appelle-moi plus, Jean. Un jour, peut-être, je t'appellerai.
Elle a raccroché.

J'avais un contrat d'édition à respecter. Un texte pour un recueil sur la paternité. L'inspiration ne venait pas. Ou venait trop. Je me suis néanmoins appliqué à m'expliquer le monde en histoire. Tel un alchimiste qui transforme le plomb en or, je jouai avec le faux pour en espérer du vrai.

23 mai 1998[1]

CHEZ LE PSY, SIX ANS APRÈS

— Monsieur Lanctôt, si je vous dis le mot « paternité », qu'est-ce qui vous vient en tête ?

— Fleur.

— Fleur ?

— Oui.

— Comme dans les fleurs et les abeilles ?

— Ah. Possible.

— Avez-vous eu une éducation sexuelle ?

— Qu'est-ce que vous entendez par là ?

— Par exemple, est-ce que vos parents ont évoqué la chose avec vous ?

— Non, pas que je me souvienne. Peut-être une fois. Ma mère m'avait maladroitement demandé si j'avais du poil au pubis.

— Et c'est tout ?

— Oui.

---

1. Publié sous le titre « L'absence », dans *Des nouvelles du père,* Québec Amérique, 2014.

— Hum.

— Autrement, c'est *Playboy* qui a fait mon éducation.

— Je vois. Et si je vous dis le mot « mère » ?

— Enfant.

— Cet enfant, c'est vous ?

— Non. Je sais pas.

— Ça pourrait l'être ?

— Le mot mère me fait penser à enfant. Pas à moi en particulier. Mère, enfant, ça va ensemble. Une mère ne serait pas une mère sans un enfant.

— Et un père ? Peut-il être un père sans enfant ?

— Spontanément, j'ai envie de vous répondre oui. Mais j'ignore pourquoi.

— Ce ne serait pas parce que votre fille aînée ne vit plus avec vous ?

— Possible… Même si ça fait six ans que…

— Depuis son départ, vous arrive-t-il de douter ?

— D'être son père ? Quelle question !

— Et votre autre fille, Juliette, c'est ça ?

— Oui.

— Comment prend-elle ça ?

— Quoi ?

— De vivre avec un fantôme.

— Il n'y a que moi qui voie Charlotte.

— Mais n'avez-vous pas déjà dit que Juliette parlait à Charlotte ?

— Elle imagine des choses.

— Vous en êtes certain ?

— Oui.

— Pourquoi ?

— À cause des réponses qu'elle prétend obtenir. Juliette fait ça par empathie pour moi. Elle voudrait que je n'aie plus mal.

— Je comprends.

— Au début, Juliette a beaucoup souffert de sa disparition, même si elle était toute petite. Puis, le temps a passé, ses blessures se sont refermées. Elle n'en conserve que peu de souvenirs.

— Elle n'a pas oublié sa grande sœur.

— Non. Et c'est sans doute ma faute.

— Et votre femme ?

— Lucie est plus forte que moi.

À LA POUPONNIÈRE, UN AN APRÈS

Avant ma thérapie chez le psy, il m'arrivait fréquemment d'aller à l'hôpital pour passer toutes sortes de tests. Il s'est avéré que je n'étais pas malade. Enfin, si. Je souffrais de crises de panique. Après mes examens, je faisais souvent un détour par la maternité.

— Lequel est le vôtre ?

— Celle-là, au fond, répondis-je.

— Dans l'incubateur ?

— Oui, elle est née avec une jaunisse.

— Comment s'appelle-t-elle ?

— Euh... Charlotte.

Impossible de lui avouer que je ne venais ici que pour les souvenirs.

— Vous n'êtes pas encore sûr du prénom ?

— Non, non... Elle s'appelle Charlotte, mais...

— Le mien se nomme Jérémie. Comme son grand-père. Ma femme y tenait. Ça lui va bien, je trouve.

— C'est celui-là, sur le bord ?

— Oui.

— On peut dire qu'il a une face de Jérémie.

— Vous êtes drôle, vous.

— Ça fait longtemps qu'on ne m'a pas dit ça.

— Je veux dire, vous n'êtes pas drôle « ha ha », mais...

— ... Je suis étrange ?

— Non, non ! Ce n'est pas ce que j'ai voulu dire. Bien, peut-être un peu, mais…

— Vous pensez peut-être que vous n'êtes pas étrange, vous, avec votre air de père gaga ?

— C'est peut-être pas votre premier enfant comme moi.

— La vérité, monsieur, c'est que j'ai deux enfants. Deux filles. Et la première a disparu.

— Oh… Je suis désolé…

— …

— C'est pour ça que vous avez décidé d'avoir un autre enfant.

— Ça n'a rien à voir.

— Vous avez raison, je dois vous paraître étrange avec mon bonheur et mes questions.

— Vous croyez que je ne suis pas heureux ?

— Ce n'est pas de mes affaires…

— Enfin des paroles sensées.

C'est alors que l'infirmière en chef se pointa.

— Monsieur Lanctôt ! Vous êtes encore ici ? Vous savez que vous n'avez plus le droit de venir à la pouponnière.

AU CIMETIÈRE, SIX ANS APRÈS

Mon père est mort depuis plusieurs années, mais c'est à peine s'il a été vivant. J'ai peu de souvenirs de lui. Nous n'avons jamais eu de grandes conversations. En sortant de chez le psy, j'ai eu envie de lui parler.

— Papa…

AUX SOINS INTENSIFS, DEUX ANS AVANT

— Papa… Tu dors ?

— Hein ?

— Je voulais pas te réveiller.

— C'est pas grave. Je dors, je dors pas.

— Tu vas mieux ?

— La femme à côté, elle est morte cette nuit.

— Elle était vieille.

— Toute sa famille de Gaspésie était ici. As-tu des nouvelles de ton frère ?

— Non… Maman va venir ce soir. As-tu besoin de quelque chose ?

— J'aimerais ça faire des mots croisés.

— Je peux aller te chercher le journal, en bas.

— Avec tous ces fils-là, partout, je sais bien pas comment je ferais pour le tenir.

— Papa…

AU CIMETIÈRE

Après être allé chez le psy, je lui ai quand même posé la question.

— Est-ce que tu m'aimes ?

Mais je savais qu'il ne me répondrait pas plus que s'il avait été en vie.

DANS LA CHAMBRE DE CHARLOTTE, ONZE ANS AVANT

— J'ai un secret à te dire…

— Je le sais : tu m'aimes.

— T'es trop gâtée, toi !

— Non !

— Ouiiiii !

— Noooooooooon !

— Ouiiiiiiiiiiiiiiiiiiiiiiiiiiiiiiiii ! Ouf !

— Non, non, non, noooooooooooooooooon ! Bon.

— Tu le sais peut-être pas, mais une journée avec toi, c'est plus que toute ma vie avec mon père.

— Je l'aime, moi, grand-papa.
— Moi aussi…
— Il m'emmène déjeuner au restaurant.
— T'es chanceuse, toi.
— Grand-papa, il t'emmenait pas manger au restaurant ?
— Je me souviens plus.
— Moi, je vais m'en rappeler toute ma viiiiiiie !
— T'es drôle.
— Toi aussi, mon papa papounet d'amour.
— Est-ce que tu vas m'aimer toute la vie ?
— Toute la viiiiiiiiiiiiiie !

AU POSTE DE POLICE, 23 MAI 1998

Il y a six ans, ma fille n'est pas rentrée à la maison après l'école. Elle était en troisième secondaire. Elle avait quinze ans. Elle aurait pu aller chez une amie et oublier de téléphoner. Mais ce n'est pas ce qui est arrivé. Après avoir appelé tous les numéros de son carnet d'adresses et fait le tour du quartier, je suis passé devant le poste de police. Je ne savais plus quoi faire. Je me suis rué sur le premier agent que j'ai vu.
— Ma fille a disparu !
— Calmez-vous…
— Je vous dis que ma fille a disparu !
— Quel âge a-t-elle ?
— Quinze ans.
— Avez-vous envisagé une fugue ?
— Non, c'est impossible.
— Ça arrive, vous savez.
— Puisque je vous affirme que ma fille a disparu !
— Depuis combien de temps avez-vous constaté sa disparition ?
— Je l'ai vue ce matin, au déjeuner.
— Il est minuit, monsieur. Votre fille est peut-être chez une amie.

— Non, elle m'avertit toujours.

— Elle a peut-être oublié, les ados…

— Pas ma fille.

— De toute façon, monsieur, on ne peut rien faire avant vingt-quatre heures.

— Vous ne comprenez pas!

— Monsieur, arrêtez de crier, s'il vous plaît, sinon…

— C'est ça. Foutez-moi donc en prison pendant que ma fille est peut-être morte à l'heure qu'il est!

— Monsieur, personne ne va vous mettre en cellule. Calmez-vous. Moi aussi, j'ai des enfants. Je vous comprends.

— …

— Vous avez téléphoné chez ses amies?

— Ça fait des heures que je la cherche partout.

— Rentrez chez vous et si, demain matin, vous êtes toujours sans nouvelles, appelez-nous.

JOURNAL DE CHARLOTTE, 22 MAI 1998

«Aujourd'hui, Sam m'a invitée à un party. C'est le plus beau gars de l'école du monde entier de toute la vie entière de toutes les galaxies. Il faut que je trouve un moyen d'y aller. Mon père est tellement poche sévère, il voudra pas.»

C'était la dernière entrée de son journal, la veille de sa disparition.

DANS LA CHAMBRE DE CHARLOTTE, TROP SOUVENT…

Longtemps, je me suis réfugié dans sa chambre, espérant je ne sais quoi. Mais il n'y avait que son fantôme.

— Papa, cesse de lire mon journal. Tu trouveras rien là-dedans.

— Je sais, mais ça me fait du bien.

— Non, ça te fait du mal.

— C'est tout ce que j'ai.
— Arrête de me chercher.
— Je peux pas.

AU BUREAU DE MON AVOCAT, CINQ ANS APRÈS

Au fil du temps, Lucie et moi nous sommes éloignés. Nous nous aimions toujours, et il y avait notre autre fille, Juliette. Malgré moi, ma souffrance avait érigé un mur entre nous. Seulement, je refusais de l'admettre. Je ne voulais pas voir de psy. Je vivais dans le déni. En désespoir de cause, pour me faire réagir, ma femme avait demandé le divorce.

— Quel motif Lucie invoque ?
— C'est pas aussi simple, Charles.
— Il doit bien y avoir une raison ! Elle ne peut pas exiger la garde de Juliette pour le fun !
— Charles… Tu vas pas bien.
— Je vais très bien ! Je travaille, je gagne bien ma vie même. Je paye tout ! Qu'est-ce qu'elle veut de plus ? Ma fille pour elle toute seule ? Non, monsieur.
— Tu t'en occupes pas beaucoup…
— Je lui paie des cours de danse, des cours de piano, de chant…
— Mais tu passes tes fins de semaine et souvent tes soirées à chercher un fantôme.
— Qu'est-ce que tu ferais à ma place ? C'est ça, me semble, être un bon père : ne pas abandonner.
— Ça fait cinq ans, Charles…
— Et puis après ?!
— Charles, on a déjà eu cette discussion. Je suis pas juste ton avocat, je suis ton ami. Je ne suis pas contre toi.
— Alors, bats-toi avec moi ! Merde !
— C'est pour ton bien, Charles. Mais surtout pour celui de Juliette. Un jour, tu vas le réaliser.

AU CIMETIÈRE, SEPT ANS APRÈS

Mon ami avait raison. Ça m'a pris du temps à le comprendre. Je devais faire mon deuil. Une cérémonie à laquelle j'avais décidé d'être le seul à assister. C'est moi qui en avais besoin.

— Ehum… La coutume veut que les proches lancent une poignée de terre sur le cercueil, monsieur Lanctôt, dit le prêtre.
— Oui, désolé, j'avais la tête ailleurs.
— Je comprends. Ce n'est pas facile ce que vous traversez. Faire son deuil après tant d'années…
— Est-ce que vous pourriez me laisser seul, s'il vous plaît ?
— Bien sûr. Votre père sera content de la savoir enterrée à ses côtés.

— Charlotte…
Je ne sais pas si tu m'entends.
Ça n'a plus tellement d'importance.
Tu es déjà partie.
Où ça, quand ça.
J'espère que tu es bien.
Que tu n'as pas souffert.
Aujourd'hui ne veut pas dire que je ne t'aime plus.
Je sais que tu le sais.
C'est tout ce qui compte.

DANS UNE CHAMBRE D'HÔPITAL, À LA MATERNITÉ, SEIZE ANS APRÈS

La vie a repris son cours. Comme un pissenlit qui pousse entre l'asphalte et le trottoir. Juliette a grandi et est devenue une femme. Lucie et moi nous sommes réconciliés. Le bonheur est toutefois fragile. C'est peut-être ce qui le rend si beau.

— Juliette !

— Papa ! Tu arrives juste à temps, l'infirmière est partie chercher mon bébé pour que je l'allaite.

— Je vais attendre dehors.

— Mais non. Tu m'as déjà changé de couche et donné mon bain.

— Vu comme ça…

— Maman n'est pas avec toi ?

— Euh, non… Elle…

— Elle surveille le chantier.

— Tu connais ta mère. Elle va venir cet après-midi, quand les ouvriers auront terminé.

— J'ai hâte de voir votre nouvelle maison. Ça va être le fun, l'été prochain, sur le bord du lac.

— Et puis, lui avez-vous trouvé un nom à ce bébé ?

L'infirmière arriva justement avec la huitième merveille du monde dans ses bras. La dame était rayonnante. J'étais heureux que ma Juliette soit entre bonnes mains.

— Elle est super gentille, madame Lussier. Sans elle, je ne sais pas comment j'aurais fait pour les premiers boires. C'est pas évident. On pense que ça va se faire tout seul, mais non, il y a toute une technique !

— Tu te débrouilles très bien.

— Pour répondre à ta question de tout à l'heure, on a décidé de l'appeler Charlotte.

— …

— Je l'aimais moi aussi, tu sais.

— Tu es sûre ?

— Absolument.

— Ton chum aussi ?

— C'est même lui qui a eu l'idée.

— Ça va faire bizarre, tu ne crois pas ?

— Elle n'a plus faim, on dirait. Tu veux la prendre ?

— Oui… Allez, Charlotte, viens voir papa.

— Grand-papa…

— Oui, viens voir ton vieux grand-papa. Elle te ressemble beaucoup. Elle a ses yeux.

Vendredi 16 juillet

Ce matin, j'ai constaté que je n'avais toujours pas obtenu de réponse à mon courriel envoyé à l'adresse de Charlotte. J'ai dû me lever trois ou quatre fois cette nuit pour aller vérifier ma boîte. Ça me ronge. Est-ce possible de recevoir un courriel transmis des années plus tôt, comme une lettre perdue dans la poste ? C'est peut-être ça qui est arrivé, une quelconque erreur informatique.

Je n'ai pas eu de nouvelles non plus de Marcel depuis qu'il a emporté mon portable. Je lui ai laissé deux messages dans sa boîte vocale. Bizarre. Je l'imagine mal être du genre à ne pas rendre ses appels. Il est probablement à l'extérieur de la ville, ou il y a un problème avec son téléphone. Dans les deux cas, il me semble qu'il m'en aurait informé. Je vais aller faire un tour chez lui, cet après-midi, pour savoir de quoi il en retourne. Si, au moins, il m'avait laissé les coordonnées de son informaticien... Je n'ai pas songé à les lui demander. Le gars devait entrer en contact avec moi. Pas de nouveau de ce côté-là non plus. Heureusement que je ne me ronge pas les ongles. J'en serais sans doute rendu à me gruger le coude.

Après le déjeuner, j'ai reçu un coup de téléphone qui allait bouleverser l'horaire de ma journée.

— Bonjour, Jean, c'est Roger Leduc.

— Bonjour…

Je le trouvais bien solennel.

— Tu as lu *Le Journal de Montréal,* ce matin ?

— Non, je le lis jamais.

— Tu devrais. Y a un article sur le chum de la fille qui a été tuée. Tu sais, celle dont tu m'as parlé.

— Et ça raconte quoi ?

— Il s'est vengé.

— C'est-à-dire ?

— Selon lui, le tueur était sans doute un des junkies de la piquerie à côté de chez lui. Il en avait déjà vu rôder dans sa ruelle. Il a décidé de se faire justice. Il a pris un bâton de baseball et est allé frapper tout ce qui bougeait dans l'appartement des drogués.

— Méchant malade…

— Selon le journaliste, une de ses victimes, un jeune au début de la vingtaine, aurait déclaré savoir qui a assassiné la blonde du gars.

— Hein ? !

— Mais peut-être que la victime racontait n'importe quoi pour calmer le gars.

— Il est où, le jeune ?

— À l'hôpital, je crois. Le journaliste dit qu'il était pas mal amoché.

— Quel hôpital ?

— Aucune idée. Le plus proche, je suppose.

— Saint-Luc ?

— Probable.

— C'est quoi, son nom ?

— Le journaliste parle d'une source qui préfère rester anonyme.

— Ça vous dirait de venir à l'hôpital avec moi ?

Je n'avais pas envie d'être seul, aujourd'hui. Ça arrive.

Il y avait de fortes chances pour qu'il s'agisse d'une fausse piste, mais c'était la meilleure que nous avions. Avant de partir, j'ai rappelé Marcel : pas de réponse. Ça commençait à m'inquiéter... Je ne lui ai pas laissé de message.

Roger m'attendait devant l'entrée de l'hôpital Saint-Luc. Je souris en l'apercevant. Il avait enfilé un paletot, et, avec ses cheveux gominés, peignés sur le côté, il avait des airs d'Humphrey Bogart.

— Comment on va procéder pour le retrouver ? lui demandai-je.

— Je connais des gardiens de sécurité à l'urgence. Viens.

Une fois à l'intérieur, Roger a aussitôt tourné à droite et s'est engagé dans un corridor. Je le suivais presque au pas de course. Nous avons franchi les portes conduisant au service des urgences. Devant nous, une salle d'attente comptant plusieurs rangées de chaises. Des gens étaient assis, éparpillés un peu partout. Ils attendaient leur tour après avoir pris un numéro, comme chez le boucher. Une image de bovins, ruminant, entassés les uns sur les autres dans un enclos me traversa l'esprit. Le gardien de sécurité qui dirigeait le troupeau vint à notre rencontre. Un grand gaillard blond, plutôt jeune, à en juger par les nombreux boutons d'acné sur son visage.

— Il faut prendre un numéro, annonça-t-il.

— On est pas ici pour ça, déclara Roger.

C'est à ce moment que le gardien le reconnut.

— Roger... Roger Leduc, c'est ça ?

— Oui. Tu travaillais hier soir ?

— Non, c'est Samuel Vincent qui fait le *shift* de soir.

— Tu sais où on peut le trouver ?

— Chez lui, je suppose. Vous le connaissez ?

— Un peu, oui, répondit Roger. T'as son numéro ?

— Attendez...

Le gardien empoigna le micro qu'il avait fixé à son épaule.

— Pourquoi vous voulez lui parler ? interrogea le gardien.

— Dis à ton patron que c'est Roger Leduc.

Le gardien relaya l'information à son supérieur, et cela eut l'effet d'une formule magique.

— Suivez-moi.

— Merci, je connais le chemin, dit Roger.

Je me sentais un peu comme un petit chien de poche à trottiner derrière Roger. J'avais l'impression qu'il aimait cette situation. Lui, il était un vrai détective, avec des contacts bien placés. J'ai pensé que c'était pour lui une façon de se venger de mon attitude envers lui et Fernand, une manière de me prouver que j'aurais dû les faire participer davantage à « mon » enquête. À vrai dire, ça m'importait peu. J'étais fébrile. J'avais le sentiment qu'enfin nous tenions quelque chose.

Le bureau du chef des gardiens de sécurité ne payait pas de mine. Un local étroit d'environ trois mètres carrés, faiblement éclairé au néon, où une table de travail et des classeurs le long des murs occupaient presque tout l'espace. Dans ce décor, le chef paraissait quasi de trop. Un homme dans la soixantaine, cheveux blancs lissés, longs favoris et un gros nez couperosé. Il me fit penser à mon père.

Les deux hommes se serrèrent la main et Roger me présenta en tant que fils de. Le chef, Gérald, remua à peine un sourcil. Il saisit un papier, qu'il remit à Roger.

— J'espère que mon gars est pas impliqué dans des affaires louches.

— Non, non, répondit Roger. On cherche quelqu'un qui aurait peut-être été admis ici hier soir.

— Pourquoi tu demandes pas à Sylvia ?

— Elle est en vacances, non ?

— Ah, c'est vrai. T'es plus au courant que moi de ce qui se passe à l'hôpital, dit Gérald en riant.

— Merci, Gérald, je te revaudrai ça.

— Je retiens pas mon souffle ! blagua-t-il.

Roger m'a ensuite entraîné à la cafétéria de l'hôpital. À cette heure, il n'y avait pratiquement personne. Je me suis dit qu'il fallait vraiment être affamé pour avoir le goût de manger ici tant l'endroit était laid avec ses murs de carreaux de céramique bruns et orange et son plancher vert pomme pourrie. Roger a téléphoné au gardien de sécurité de service la veille. Celui-ci se souvenait d'un genre de punk arrivé en ambulance. À moins qu'il n'ait déjà eu son congé, il devrait encore être à l'urgence. Sinon, durant la soirée, le reste des clients avaient été des vieux et un motocycliste. Nous avons décidé de tenter notre chance.

J'ai toujours été étonné de constater que n'importe qui pouvait se balader dans les couloirs d'un hôpital. Nous avons fait le tour des lits. La plupart des gens étaient des personnes âgées reliées à des tubes et des moniteurs. Certains relevaient difficilement la tête en nous apercevant, espérant une visite qui ne viendrait peut-être jamais. Nous sommes enfin tombés sur un patient qui correspondait au signalement donné par l'agent de sécurité : cheveux teints en rouge et jaune et tatouage dans le cou, ce qui contrastait avec la jaquette bleue entrouverte qu'il portait. Quand nous nous sommes approchés de lui, le jeune homme nous a regardés avec un air inquiet.

— Vous êtes qui, vous autres ?

— On souhaite juste te poser quelques questions, dit Roger Leduc.

— Vous travaillez pour la police ?

— Pas exactement.

— Ça veut dire quoi, ça ? demanda le jeune punk.

— Mon chien a été torturé par un malade…, mentis-je. Et on a lu dans le journal que tu prétendais savoir qui avait assassiné la blonde du gars qui t'a envoyé à l'hôpital.

— C'est quoi le rapport ? s'étonna le jeune homme.

— On a des raisons de penser que c'est le même gars.

— Hein ? Quelles raisons ?

— Tu le connais ou pas, le tueur ? intervint Roger d'un ton dur.

— Oui, je le connais. Ben, je veux dire, je sais c'est qui, mais je connais pas son nom, t'sais. Pis je vois pas pourquoi je vous le dirais.

À ce moment, Roger fouilla dans sa poche et en ressortit une liasse de billets. Un sourire naquit sur le visage de l'intéressé.

— Tu pourrais être un peu plus précis ? demanda Roger.

— Le gars, je l'ai vu une couple de fois au *spot*. C'est tout.

Roger lui tendit un billet de dix dollars.

— Mais encore ?

— Il venait pour acheter de la coke. Pis un soir, quand il était sur son *high*, je l'ai entendu se vanter d'avoir déjà tué. Mais t'sais, pas juste tué, là.

Un autre billet de dix dollars changea de propriétaire.

— Il disait qu'il enlevait le mal, morceau par morceau. C'est ça qui m'a fait flasher sur la fille. C'est peut-être pas vrai, t'sais, c'est peut-être juste un autre débile qui parle trop quand il est gelé. Moi aussi, ça m'arrive de délirer.

— De quoi il a l'air ?

— Ben…

Notre client hésitait.

— Ben quoi ? le relança Roger.

Notre homme désirait plus d'argent. Faveur accordée.

— Il avait l'air d'un gars ordinaire, t'sais. Genre habillé normal, comme un gars qui travaille.

— En chemise et cravate ?

— Non, non, je veux dire, il avait pas de tattoos, t'sais, ou un t-shirt de groupe de musique. Il avait l'air comme les autres, le monde de bureau. Mais grand. Des cheveux bruns courts. Normal, t'sais. En tout cas, dans son linge. Je pense qu'il travaillait dans un club vidéo. Oui, c'est ça. Il avait un chandail de club vidéo. Mais bon, t'sais, ça veut rien dire. Y a ben du monde dans rue qui porte n'importe quoi.

— Tu sais de quel club vidéo ?

— Vidéotron, je pense. T'sais, le petit logo en V. Ça doit être ça. Un chandail noir en tout cas, avec un collet. Mais là… Vous allez pas y dire ça que c'est moi qui vous l'a dit, hein ?

Il venait de réaliser que sa soif du gain pouvait lui causer des problèmes.

— Inquiète-toi pas, le rassura Roger. On lui mentionnera que t'es déjà à l'hôpital.

— Non, mais heille, pas de farce, là !

Nous nous sommes éloignés sans regarder derrière nous.

— Heille ! Les gars ! Heille !

Une infirmière s'est amenée au pas de course.

Nous avions déjà franchi les portes de l'urgence quand elle est arrivée auprès du patient qui ne cessait de crier.

Roger avait donc déboursé trente dollars pour apprendre qu'un type aux cheveux bruns courts, travaillant dans un Super Club Vidéotron, consommait de la cocaïne et se glorifiait de découper des gens en morceaux. Nous n'avions pas de nom ni de visage, pas plus que d'endroit précis. Comme l'avait souligné notre informateur, les « révélations » du suspect pouvaient n'être que vantardises de toxicomane en mal de sensations fortes. Malgré ce peu, j'étais excité. Nous avions au moins une description, sommaire il va sans dire, et surtout un point de départ pour nos recherches : le club vidéo.

Seulement à Montréal, nous avons compté vingt-huit succursales. Nous avons émis l'hypothèse que le lieu de travail devait se situer près de l'endroit où il achetait sa drogue, en nous basant sur le fait qu'il y avait été vu avec son « uniforme ». En retirant de la liste les succursales qui étaient trop éloignées du Centre-Sud, le nombre rétrécissait à treize. Et encore, nous étions généreux concernant la distance pour quelques-unes d'entre elles. En répartissant la surveillance des treize succursales entre nous quatre,

Roger, Fernand, Marcel et moi, il n'était pas impossible que d'ici une semaine nous ayons réussi à dresser une courte liste de tueurs potentiels. De là, nous établirions une filature pour chacun d'eux. Ce plan simple m'enthousiasmait.

La suite des événements allait toutefois rendre les choses plus compliquées.

Je n'en reviens pas encore.

Samedi 17 juillet

Hier après-midi, n'obtenant toujours pas de réponse de Marcel, j'ai décidé de lui rendre visite. En me stationnant devant chez lui, j'ai remarqué que sa voiture était garée dans son entrée de garage. J'ai sonné à sa porte. Plusieurs fois. J'ai regardé à travers la fenêtre du salon, je n'y voyais rien. Rien d'inhabituel, du moins. Il faisait sombre à l'intérieur. J'ai essayé de tourner la poignée. Verrouillée. J'ai fait le tour de la maison et je suis allé dans la cour. Là, j'ai vu un voisin de l'autre côté de la clôture, assis sur son balcon. Un homme d'un certain âge, front dégarni, vêtu d'un bermuda et d'une simple camisole. Il était en train de lire son journal. Il a relevé la tête en prenant conscience de ma présence. Je lui ai demandé s'il avait aperçu Marcel Deschamps aujourd'hui. Il m'a répondu par la négative, paraissant plutôt surpris par ma question.

— Vous êtes de la police ?

— Non. Un ami.

— Ah.

Puis, il a replongé ses yeux dans sa lecture.

J'ai grimpé les quelques marches conduisant à la terrasse en bois. C'est là que j'ai constaté que la porte-fenêtre était entrouverte. Alors que je faisais glisser la porte vitrée, j'ai vu du coin de l'œil le voisin entrer chez lui.

La cuisine n'était pas rangée. Une poêle et un chaudron traînaient sur la cuisinière. L'évier contenait des assiettes et des ustensiles pêle-mêle. Quelques verres reposaient sur le comptoir. Ça ressemblait à chez moi. Les restes du quotidien d'un célibataire.

En sortant de la cuisine, tout de suite à gauche, se trouvait la chambre de Marcel. Le lit avait été fait de façon sommaire, la douillette jetée sur les draps. Dans un coin, des vêtements s'empilaient. J'aurais pensé qu'un policier aurait eu davantage le souci de l'ordre, même ménager.

Sans doute à cause de la pénombre, de l'extérieur je n'avais pas vu Marcel assis dans son fauteuil, au salon. Je me suis approché doucement, de peur de le réveiller. Ce n'est qu'une fois arrivé à sa hauteur que j'ai vu le sang. Son visage en était maculé. Des rigoles séchées avaient fait leur chemin de son cou à sa chemise.

J'ai figé.

J'ai eu peur.

Et si celui qui avait fait ça était encore dans la maison ?

Outre le salon, le reste des pièces m'était plutôt inconnu. Je ne connaissais pas la configuration des lieux. Je savais qu'il y avait un sous-sol, mais j'ignorais où se situait l'escalier y menant. Tous mes sens en alerte, je guettais le moindre signe de vie autre que la mienne. Il n'y avait que le bruit de mon cœur battant à tout rompre.

Soudain, un bruit de sonnette me fit sursauter. D'où je me trouvais, je distinguais une ombre à travers les carreaux de la porte d'entrée. J'avais envie de fuir. En me retournant, je me suis pris les pieds dans quelque chose. Mon portable ? Sans réfléchir, je l'ai ramassé et je me suis rapidement dirigé vers la cuisine. En sortant sur la terrasse, j'ai vu le voisin qui m'observait de son balcon. Puis, ses yeux se sont portés vers l'entrée de la cour. J'ai machinalement suivi son regard. Un policier arrivait au pas de course.

J'ai jeté un bref coup d'œil aux alentours. Si je voulais échapper au flic, il faudrait que je saute par-dessus la balustrade de la terrasse, puis que je franchisse la clôture de bois d'une hauteur d'au moins deux mètres.

Ces quelques secondes de réflexion, ou plutôt d'inaction, furent suffisantes. Le policier était déjà sur la terrasse, prêt à m'intercepter. Instinctivement, comme dans les films, je levai les bras, tenant mon portable au-dessus de ma tête.

— Déposez l'ordinateur, m'ordonna le policier. Et pas de gestes brusques.

C'est alors que j'ai constaté que le couvercle était tout bosselé. Il y avait aussi des marques rouges par endroits. Soit Marcel avait été battu à coup de portable, soit il s'était défendu avec.

— Mettez-vous à genoux.

Je me suis exécuté.

— À plat ventre maintenant.

Je n'avais pas le choix d'obéir. Je n'étais coupable de rien, mais je savais que j'aurais de la difficulté à justifier ma présence dans la maison d'un homme couvert de sang.

La bonne nouvelle, c'est que Marcel n'était pas mort, mais dans le coma. La mauvaise, c'est que mes empreintes, parmi d'autres, tapissaient l'arme du crime. (Mon portable était d'ailleurs foutu.) Le médecin conclut que Marcel reposait dans son fauteuil depuis au moins deux jours, à en juger, notamment, par l'état de sécheresse de sa bouche. Mais ce diagnostic ne me disculpait en rien. Dans les dossiers de la police, j'avais des antécédents de violence (mon altercation avec le policier chargé de l'enquête sur la disparition de Charlotte.)

On m'a conduit au poste de police, où j'ai subi un long interrogatoire. J'ai récapitulé dans le détail ma rencontre et ma relation avec Marcel Deschamps : la découverte de son chien mutilé, l'enquête que nous menions à ce sujet. (Mais je n'ai pas parlé de mes textes sur des murs, du meurtre et du courriel de ma fille.) J'ai expliqué que j'avais des problèmes avec mon portable et que Marcel Deschamps devait l'apporter chez un expert de sa connaissance.

On a fait venir Roger, qui a corroboré une partie de mes dires. Seulement, son récit comportait plusieurs trous par rapport à mon histoire. Évidemment, Roger ne savait pas tout. Mais j'aurais cru que, puisqu'il était une figure familière du corps policier, son témoignage aurait eu plus de poids. Même qu'il aurait pu mentir pour m'aider, mais je suppose que, dans sa position, ce n'était pas une bonne idée. Je n'ai pas senti que les policiers avaient de l'estime pour lui, comme si un détective privé d'une petite agence était une sorte de nain de jardin dans la hiérarchie. Néanmoins, j'ai été libéré avec ordre de ne pas quitter la ville, comme un brigand dans un western. Sauf que ma tête n'était pas (encore) mise à prix.

En sortant du poste de police, j'ai vu Roger qui m'attendait sur le trottoir. Il avait l'air bizarre. Peut-être se sentait-il mal. Il m'a tapé sur l'épaule, comme un « homme », pour m'encourager. Il m'a offert de me conduire à ma voiture, restée devant la maison de Marcel. Nous sommes demeurés silencieux pendant un certain temps.

— C'est peut-être pas le moment d'en parler, mais... Avec Marcel mal en point, penses-tu encore lui vendre l'agence ?

— Effectivement, c'est pas le moment d'en parler...

— Oui, t'as raison. Désolé.

— J'ai peur, avouai-je.

— Tu leur as mentionné tes textes sur les murs ?

— Non. Et vous ?

— Ils m'ont pas posé la question. Tu aurais dû leur en glisser un mot.

— Pour qu'ils me prennent pour un complice ? m'écriai-je.

— Non, mais...

— Ils étaient à deux doigts de m'arrêter !

— Tu serais peut-être plus en sécurité en prison...

— Très drôle.

Non, je n'étais pas d'humeur.

Je craignais pour ma vie. Si l'on avait attenté à celle de Marcel, j'étais peut-être le suivant sur la liste.

J'essayai de me calmer.

Il me fallait réfléchir.

Comment me sortir de ce bourbier? La police ne m'offrait aucune protection particulière. Au contraire, aux yeux des policiers, je représentais un suspect! Je ne pouvais me fier à eux pour capturer rapidement le déséquilibré. Ils ne possédaient de toute façon pas toutes les informations. J'aurais pu leur en révéler plus… Cependant, j'avais encore en mémoire une phrase de Marcel. Il affirmait avoir ses raisons pour ne pas divulguer des pans de notre enquête aux policiers. La suspicion régnait d'un côté comme de l'autre dans cette affaire.

Quelles étaient mes options? Soit je laissais tomber et je me cachais ou je m'enfuyais quelque part, le temps que ça se tasse. Soit je mettais tout en œuvre, aidé de Roger et de Fernand, pour retrouver moi-même le salaud. S'ils acceptaient, bien sûr. Ce n'était pas gagné, considérant l'attitude de Roger devant les policiers. Il n'était pas prêt à tout risquer.

L'idée d'un voyage avait quelque chose de séduisant. Partir. Loin. Longtemps. Et écrire. Jusqu'ici, dans ma vie, l'écriture m'avait servi de refuge. Je m'isolais du bruit et de la fureur du monde pour mieux percevoir mon vacarme intérieur. Toutefois, aussitôt que je relevais la tête, je n'étais plus le roi de mon univers. Je redevenais un sujet du grand chaos, un crieur affolé parmi la foule. Dans mon petit pays qui n'en est pas un, j'ai fréquemment l'impression que nous vivons entassés les uns sur les autres. Sept millions dans un deux et demie. Chut… Ne parle pas trop fort, tu pourrais déranger. Chacun tire sur la couverture pour se protéger du froid et mieux dormir. Souvent, j'ai songé à quitter ma province. Mais pour aller où?

Voilà où j'en étais dans mes réflexions quand Roger me sortit de mon marasme.

— Si tu veux, tu peux venir chez moi, ce soir.

— Je vais y penser…

Et c'est comme ça que je me suis retrouvé sur le divan de Roger Leduc, à écrire sur le vieux portable de mon père, tard dans la nuit.

Dimanche 18 juillet

L'appartement de Roger n'avait rien à voir avec ce que j'avais pu imaginer. Non, il ne ressemblait pas à un bunker nazi dédié à la mémoire de Hitler, même que l'ensemble était plutôt coquet. Des fleurs et des plantes vertes un peu partout. Tout était méticuleusement rangé. Les murs blancs étaient ornés de reproductions de peintres impressionnistes. Une bibliothèque garnie de bouquins consacrés à l'histoire rappelait la passion de mon hôte. On y trouvait aussi plusieurs romans policiers, mais également des classiques comme Balzac ou Zola. À côté, il y avait une imposante collection de disques de vinyle. Des centaines et des centaines d'œuvres de jazz, dont, sans doute, nombre de raretés. Je n'aurais pas cru me découvrir des affinités avec l'austère employé de mon père, et cela me fit regretter de m'être débarrassé de mes vieux microsillons. J'étais en train de passer en revue les pochettes quand Roger sortit de sa chambre, déjà tout habillé et prêt à affronter la journée.

— Bien dormi ? me demanda-t-il.

— Pas beaucoup…

— Je sais, je devrais changer mon sofa.

— Non, c'est pas ça.

— Je comprends. Tu as mangé ?

— Non, pas encore.

— Café, jus ?

— Un grand verre de jus pour commencer. Merci.

— De rien. Tu aimes le jazz ?

— Oui, beaucoup. Vous avez des disques incroyables. J'adore cet album, *Dirty Dog*, de Kai Winding. C'est la première version de *Cantaloupe Island,* de Herbie Hancock.

— C'est très années soixante.

— Très Batman, oui !

— En effet !

— Je peux ?

Roger me fit signe que oui et je déposai le disque sur la platine. Quelle bonne musique pour se réveiller le matin ! Cet album était l'un des rares que j'avais numérisés avant de me défaire de ma collection. Il me donne toujours le sourire et le goût de bouger.

La table de cuisine était minuscule, ce célibataire endurci ne recevait probablement pas souvent. Il me servit mon verre de jus. Je regardais par la fenêtre de la porte vitrée. Du deuxième étage, on avait une vue sur un très gros arbre. Ses feuilles vertes bloquaient l'horizon, la ruelle plutôt. L'épais feuillage donnait un sentiment d'intimité, voire de sécurité, hors du monde.

— Tiens, je te laisse un double de mes clés. Je préfère que tu restes ici.

— Merci.

— Ça me fait drôle de te voir chez moi.

— Moi aussi. Un peu.

— Je repense aux premières fois que je t'ai vu, quand ton père t'amenait au bureau l'été, pour classer des factures. Tu avais quoi… onze ans ?

— Douze. Mon père croyait aux vertus du travail.

Roger sourit.

— Je suppose que tu aurais préféré jouer dehors avec tes amis.

— J'aimais ça, quand même. Ça me permettait de passer du temps avec lui.

— C'était pas un gars très jasant, hein.

— Un homme de peu de mots…

Il sourit encore.

— Il parlait plus après trois bières.

— Pourquoi c'est vous qui aviez ses cahiers ?

— Hum… Comment te dire ça…

— Il avait peur de se les faire voler ?

— Non. Ben… Peut-être. En fait, il voulait pas que tu les lises.

— Pourquoi vous me les avez donnés ?

— Parce que je pensais que c'était important. Même si ça peut te faire mal, par bout, ce qui est écrit. Je sais que vous vous entendiez pas très bien. Mais je suis sûr que ton père t'aimait et qu'il a tout fait pour retrouver ta fille. Et moi aussi.

La musique s'arrêta. La tête de lecture du tourne-disque regagna sa position sur le repose-bras en émettant un petit clic.

— Peut-être que vous avez raison, dis-je.

Roger se leva.

— Il me reste des croissants, t'en veux ?

— Euh… Oui. Merci.

— Avec un expresso ou un café au lait ?

— Au lait. Merci.

— Ça me fait plaisir.

J'ai pris une bouchée dans un croissant un peu sec pendant que la machine expresso roucoulait en préparant mon café.

— Qu'est-ce qui vous a amené à devenir détective ? lui demandai-je

— Un concours de circonstances… Au début, ton père m'a engagé pour faire la comptabilité. J'avais un certificat en administration. Puis, petit à petit, je me suis intéressé aux enquêtes, je donnais mon avis. Et un jour, il m'en a confié une. Faut croire que j'ai assez bien fait puisque j'ai continué.

— Vous avez appris sur le tas.

— Oui, et au début, le tas était pas mal gros ! lança-t-il en riant. Ton père m'a montré des trucs. Lui aussi a appris sur le tas, comme tu dis.

— Il avait gagné sa vie comme agent de sécurité pendant un bout de temps, ajoutai-je. Il aimait surveiller les gens, prendre des notes… Enfin, c'est ce qu'il m'a raconté. Et c'est grâce à ses manies qu'il a aidé dans des enquêtes. Ce qui lui a ensuite donné l'idée de fonder sa propre agence. Il a fait le tour des endroits où il avait travaillé et leur a proposé ses services.

— Un rusé, ton père.

— On peut dire qu'il avait le sens des affaires. Il n'a pas été à l'école longtemps, mais il savait compter.

— Pour ça, oui ! Aujourd'hui, je pense pas que ce serait encore possible de fonder une entreprise comme il l'a fait. C'est rendu qu'il faut un diplôme pour tout. Les compagnies n'investissent plus dans la formation. La relation maître-apprenti existe plus. On veut des résultats tout de suite. Le futur, c'est maintenant. Et on jette après usage. La reconnaissance d'années de travail, connaît pas. Bref…

Roger but une grande gorgée de café. J'aimais ce que je découvrais chez cet homme. Mais avec ce que j'avais lu à son sujet dans le journal de mon père, je me méfiais quand même.

Leduc s'est infiltré dans l'appartement de Jean. Il a réussi à mettre la main sur le journal intime de Charlotte. Il a pris des photos du journal pour pas que Jean s'en rende compte. On n'a pas appris grand-chose, mais au moins on a une liste d'amis, des numéros de téléphone et des adresses de courriel notées à la main. Leduc m'a dit que le ménage dans la chambre de Charlotte avait l'air d'avoir été fait. Tout était bien rangé, pas de poussière. Comme si elle n'était jamais partie ou comme si elle n'avait jamais été là. Dur à dire. Les enquêteurs ont dû fouiller la chambre et mettre un peu le bordel. J'ai l'impression que Jean a tout replacé, tout mis en ordre, pour conserver intacte la mémoire de Charlotte, comme les gens qui vont chaque semaine tailler le gazon autour de la tombe d'un proche. Pauvre lui. Je me demande si y passe beaucoup de temps dans la chambre de sa fille, à essayer de se rappeler, pour pas que ce qui lui reste s'en aille. Je voudrais lui parler. Lui dire que moi aussi, j'ai de la peine. Mais on se parle plus. En tout cas, demain, on va faire le tour des amies de Charlotte. On sait qu'il y avait un party ce soir-là. Un gars, Sam, l'avait invitée. Mais on n'a pas trouvé son numéro de téléphone. On cherche, Jean. On cherche.

— C'est quoi ton plan, pour aujourd'hui ? me demanda Roger.

Je ne savais plus si je désirais continuer ou pas. Je ne pouvais confirmer que l'attaque contre Marcel était l'œuvre de notre fou furieux. Mais, si c'était le cas, le gars avait réussi.

— Si on fait rien, c'est lui qui gagne, dis-je comme pour me convaincre.

— Peut-être…

— Et si on appelait Fernand ? On pourrait se séparer les clubs vidéo ?

Je n'étais pas venu dormir sur le divan de Roger pour le plaisir de déjeuner en sa compagnie. Je repensais à ce passage du journal de Sébastien Marchand… Il me fallait agir, mais j'avais peur de ces malades.

André m'a montré des films. Y a l'air de connaître pas mal ça. Des hosties de films capotés. Je me rappelle pas de toutes les titres. Mais c'est pas grave. C'est ce qu'il y a dedans qui compte. Y dit que l'art est une inspiration. Même plus. Souvent une voie à suivre. Y dit que y a des artistes qui sont en contact avec le Grand Tout. Je sais pas trop ce qu'y veut dire par ça. Je pense qu'y parle du mal. Pis c'est vrai. Les artistes ont des antennes. Y sont comme branchés direct sur la patente, mais sans le savoir ou se l'avouer qu'André dit. On a regardé des bouts de films comme *Taxi Driver* et *Apocalypse Now*. L'important, qu'y m'a dit, c'est les yeux. «Regarde comment l'acteur change. Si tu changes tes yeux, tu vas mieux voir. C'est le regard qu'on porte sur les choses qui les transforment. Tes yeux sont ton pouvoir sur la réalité. Tu peux la changer pour qu'elle t'appartienne.» Hostie qu'y est flyé, André. Mais christie qu'y a raison. Pis là, y m'a dit que si je continuais de progresser dans la lumière du mal pis du Grand Tout, que là il pourrait me montrer ses films à lui. Du vrai cinéma avec des vrais acteurs qui ont peur pour vrai du mal, pis qui sont libérés par lui. Mais pour ça, faut que je continue à l'écouter et à réussir mes épreuves. André fait confiance à personne, jamais. Il me dit de faire pareil, que c'est pas à lui que je dois faire confiance, mais à la voix qui nous guide. C'est compliqué. Pas sûr que je vas me rendre où y veut. Mais en attendant, on a du fun en crisse. Ma vie est en train de devenir un vrai hostie de bon film d'horreur, pis c'est nous autres qui décide qui joue dedans.

Fernand avait l'air inquiet quand il est arrivé. Roger lui avait seulement dit, au téléphone, qu'on préparait une opération importante et qu'on avait besoin de lui.

— Qu'est-ce qui se passe ? demanda Fernand aussitôt qu'il eut franchi la porte.

Roger l'invita à s'asseoir à la table de la cuisine, là où nous avions dressé une liste, sur mon portable, des différents clubs vidéo tandis que nous l'attendions. La chaise émit un craquement tragique lorsque sa masse corpulente s'échoua sur elle, mais elle tint le coup. Fernand posa plusieurs questions pendant que je lui expliquais la situation. Il avait l'esprit plus vif que je ne l'aurais cru. Il me fit réaliser que mon plan de surveillance risquait de prendre plus de temps que je ne l'avais envisagé, à moins d'être chanceux. Je n'avais pas pensé aux quarts de travail. En général, ces clubs sont ouverts au moins douze heures par jour, parfois plus. Ça dépendait des succursales. Fernand suggéra que nous téléphonions d'abord à chacun de ces clubs en nous faisant passer pour quelqu'un à la recherche d'un emploi, de façon à en savoir plus sur les horaires des employés. S'ils travaillaient des quarts de huit heures, de quatre heures, voire de douze heures. Nous ignorions si notre suspect occupait un emploi à temps plein ou partiel. Pour qu'on soit plus efficaces, Fernand proposa qu'on se pointe aux clubs vidéo seulement aux changements de quart de travail, de manière à couvrir le plus d'employés possible en moins de temps. Ce fut tout un exercice de logistique que d'établir qui se rendrait où et quand, mais nous y sommes parvenus.

Roger est ressorti des toilettes en disant qu'il avait faim. Nous aussi. Nous avons donc décidé d'aller manger au restaurant et nous nous apprêtions à sortir quand un son provenant du portable de mon père attira mon attention. Je venais de recevoir un courriel. Curieux et appréhensif, je vérifiai ma boîte de réception.

De : Charlotte Royer Cloutier <clochette92@hotmail.com>
À : JEAN.ROYER@gmail.com
Date : 18 juillet 11 h 57
Objet :

Au secours

Lundi 19 juillet

Hier, à la lecture du courriel, j'ai senti une forte bouffée de chaleur à la base de ma nuque, qui s'est vite propagée dans mon crâne. Une onde électrique a traversé tous mes membres. Je manquais d'air. J'avais mal au bras gauche. La mort me hantait. Je me suis étendu sur le divan de Roger. Mon esprit savait ce que j'avais, mais il n'était pas capable de contrôler mon corps. D'habitude, je perçois les signes annonciateurs. Là, ça avait été trop subit.

Roger me regardait, ne sachant que faire, tandis que Fernand se précipitait pour m'apporter un verre d'eau, que je refusai d'un grand geste, le faisant se renverser sur le plancher.

J'ai eu l'impression que ma crise de panique avait duré au moins trente minutes. Ç'a été long avant que je ne reprenne possession de mon corps. À un moment, Fernand voulait appeler une ambulance. Je lui ai crié de laisser faire, que ça allait passer. Je ne pouvais m'exprimer autrement tant la frayeur m'envahissait.

Fernand et Roger n'étaient manifestement pas au courant de ma condition. J'aurais pensé que mon père leur en aurait parlé. À moins qu'ils n'aient oublié. Ça ne m'aurait pas étonné que mon père ait passé sous silence le fait que son fils avait une « maladie mentale ». Lui-même n'avait jamais évoqué le sujet avec moi. Faut dire que moi non plus. La honte, je suppose, de n'être pas fait assez fort, comme il aurait dit, alors que je n'y pouvais tout simplement rien.

Depuis mon adolescence que je me sens différent. Différent des autres et surtout de ma famille. Mais, au fond, nous sommes tous uniques… Plus jeune, comme bien d'autres sans doute, je me suis posé des questions sur mon orientation sexuelle. Se pouvait-il que ce sentiment d'étrangeté que j'éprouvais face à mon entourage soit un indicateur d'une homosexualité latente? Déjà, à cet âge ingrat, je m'intéressais beaucoup au théâtre et à la poésie. Et quand je constatais que plusieurs des auteurs que j'appréciais étaient gais… Je me cherchais.

J'ai aussi longtemps pensé que j'étais un enfant adopté. Physiquement, la ressemblance avec mes parents était plutôt ténue. Je n'arrivais pas à m'identifier à eux, même que je ne le souhaitais pas du tout. Ma mère avait coutume de me dire: « Tu tiens toujours ben pas du voisin ! » Un jour, elle m'avait montré mon acte de naissance, le bracelet que je portais à l'hôpital et le cierge utilisé à mon baptême. Je restais dubitatif. « T'as pas de photos de toi et moi bébé naissant à l'hôpital… » Pauvre mère. Il a fallu qu'un jour une de mes tantes apporte à la maison un « portrait », comme elle le nommait, de mon grand-père paternel pour que je me reconnaisse enfin. J'étais lui tout craché, sauf pour les grandes oreilles. Je me suis réconcilié avec mes origines. J'étais bien l'enfant de mes parents, je faisais partie de cette famille, que je le veuille ou non.

Mon penchant pour l'écriture, la poésie, a aussi provoqué des remises en question. Personne autour de moi ne s'y adonnait. J'étais encore l'extraterrestre. Évidemment, les poètes qui m'attiraient le plus étaient les poètes maudits, les romantiques, les exaltés. Et la folie rôdait souvent. Est-ce que c'était ça qui m'attendait? Allais-je finir mes jours à l'asile comme Nelligan? Quand j'écrivais dans ma chambre, au sous-sol chez mes parents, j'étais chaque fois surpris de ce qui sortait de mon crayon. Ces émotions, ces idées… Ça me semblait si loin et si près de moi à la fois. Je transcrivais ce que j'entendais. J'en étais venu à m'interroger sur la provenance de cette voix intérieure. Était-ce un esprit qui me guidait ou qui cherchait à s'exprimer à travers moi ? Y avait-il un fantôme dans notre maison ? Je sentais des présences invisibles. Peut-être qu'un drame avait eu lieu dans notre demeure avant nous, un meurtre, un suicide ? J'avais l'imagination fertile… et je l'ai encore.

Je me souviens d'une phrase de Michel Tremblay qui affirmait que l'écriture comble (ou cache) un manque de communication. En ce sens, je crois que je n'étais pas vraiment différent des autres. Seulement que j'avais un besoin plus fort, irrépressible, de communiquer, de partager. Et paradoxalement, on est seul quand on écrit. « Certaines personnes ressentent les choses plus profondément que d'autres, et certaines ressentent des choses que les autres ne ressentent pas du tout. C'est ce qui crée ce sentiment d'isolement. Cette sensation d'être à part », écrivait l'auteure Patricia Cornwell.

Après ma crise de panique, j'ai voulu rentrer chez moi. J'avais envie de me retrouver dans mes affaires. Roger a proposé de m'accompagner. Il craignait pour ma sécurité, disait-il, et sans doute aussi pour ma santé. Je lui ai dit de ne pas s'en faire, que j'étais habitué. Néanmoins, Roger a insisté.

Il a stationné sa voiture devant mon appartement et est demeuré à l'intérieur, au cas où. Ça me fait bizarre de voir des gens prendre soin de moi.

Je ne savais pas quoi faire du dernier courriel reçu. Il ne répondait pas à ma question visant à valider l'identité de l'expéditeur. D'un autre côté, Charlotte, si c'était elle, n'avait probablement pas accès à l'ordinateur très longtemps, d'où ce court message, cet appel à l'aide. Mais il pouvait aussi s'agir d'une ruse, d'un guet-apens. Des mots pour me troubler. Je n'avais pas de moyens de vérifier leur véracité. De toute façon, qu'ils soient vrais ou non, que pouvais-je faire ? Je ne disposais d'aucune information me permettant de la retrouver.

Ce matin, j'ai décidé d'appeler la police.

Ils ont pris ma demande au sérieux. J'ignore pourquoi j'en doutais. Deux enquêteurs se sont présentés à mon domicile, dans l'après-midi. Heureusement, il ne s'agissait pas des mêmes qui s'étaient occupés de la disparition de Charlotte. Je n'ai pas posé de questions à savoir pourquoi. Il y a du roulement de personnel partout, je suppose. J'étais juste content de ne pas avoir affaire aux premiers dans le dossier.

Les deux types étaient plutôt jeunes. Cheveux courts bruns, veston-cravate, plus ou moins baraqués. L'un était un peu plus grand que l'autre. Rien ne les distinguait vraiment, sinon que le plus petit avait un accent anglais. Steve Gartner qu'il s'appelait. Son collègue répondait au nom de Charles Desbiens. C'est ce dernier qui semblait diriger. Steve Gartner restait un peu en retrait.

Ils ont pris ma déposition. Je n'avais pas grand-chose à révéler. J'avais reçu deux courriels provenant de l'adresse de ma fille disparue. J'avais répondu à l'un et c'est tout. J'ai omis de parler l'enquête que je menais en parallèle. Tout ce que je désirais d'eux, c'est qu'ils m'aident à débusquer l'auteur des messages. Je craignais que si je leur dévoilais mon implication dans la poursuite du fêlé qui avait mutilé des animaux et tué une fille, ça complique trop les choses. Déjà que j'étais une « personne d'intérêt », selon leurs propres mots, dans l'agression qu'avait subie Marcel Deschamps, j'ai préféré garder le silence sur le reste. Peut-être n'aurais-je pas dû. À ce moment, je me suis dit qu'il serait toujours temps de le divulguer si ça s'avérait utile.

Charles Desbiens a ensuite exigé de voir l'ordinateur de mon père. Je leur ai mentionné que j'étais réticent à leur laisser. J'en avais besoin pour travailler. Steve Gartner m'a rassuré en m'expliquant qu'ils n'avaient qu'à noter des détails techniques. Je leur ai alors demandé pourquoi Marcel Deschamps avait tenu à prendre mon portable si eux jugeaient que ce n'était pas nécessaire. Ils ont haussé les épaules.

— Peut-être que votre ami voulait s'assurer que votre ordinateur n'était pas infecté par un logiciel espion, me répondit Charles Desbiens.

— Et vous, ça ne vous intéresse pas de le savoir ? m'étonnai-je.

— Ce n'est pas notre mandat, répliqua-t-il. Nous ne sommes pas de la brigade des crimes informatiques. Et pour l'instant, on ne peut pas affirmer qu'un acte criminel a été commis. Nous, ce qui nous importe, c'est de retrouver votre fille. Que votre ordinateur soit infecté ou non ne change rien à notre enquête.

— Ça pourrait aider, non ? Je veux dire, ça doit bien laisser des traces dans un ordinateur, je sais pas, moi ?

— On a plus de chances de remonter la piste de la personne qui a envoyé le courriel que de chercher pendant des jours, sinon des semaines, si votre portable est victime d'espionnage, croyez-moi.

Je ne savais pas quoi répondre. Je m'inclinai devant leurs arguments en apparence logiques. J'y connaissais rien de toute façon.

— Soyez prudent, me conseilla Steve Gartner, et ne répondez plus aux courriels si vous en avez d'autres. Avertissez-nous.

Leur façon d'envisager l'enquête me laissait deviner qu'ils ne pensaient pas que les courriels provenaient de ma fille. À moins qu'ils ne veuillent simplement pas créer de faux espoirs. Six ans, c'est long…

Mardi 20 juillet

Hier, quelques minutes après le départ des enquêteurs, on a sonné à ma porte. J'ai cru qu'ils avaient oublié quelque chose. C'était Roger.

— Qui c'était ? me demanda-t-il, l'air inquiet.

Je lui fis signe d'entrer.

— Des enquêteurs, répondis-je.

— À propos de Marcel ?

— Non. De ma fille.

Il sourcilla.

— Comment ça ?

— Je les ai appelés. Les courriels... Je savais pas quoi faire d'autre.

— Ouais. J'aurais dû y penser...

Nous sommes allés nous asseoir au salon.

— Tu veux continuer ou laisser tomber ?

Je soupirai.

— Tout ça... C'est un peu en train de me rendre fou.

— Je comprends.

Je fixai le vide pendant un moment.

— En même temps, je peux pas me résoudre à rien faire, avouai-je. Je crois que ça me rendrait encore plus cinglé, ajoutai-je en souriant.

— Confidence pour confidence… Pendant que je gardais un œil sur toi, Fernand a pris l'initiative de commencer la surveillance des clubs vidéo.

J'ouvris grands les yeux d'étonnement.

— Et ?

— Et rien de concret encore, mais c'est un début. Fernand a déjà éliminé deux succursales.

— C'est bon.

— Oui. Mais on peut arrêter, si tu veux…

Je me grattai la tête, me passai la main dans le visage. Je réfléchissais.

— Peut-être que je ferais mieux d'attendre les résultats de la recherche des enquêteurs.

— Ça peut prendre du temps…

— Ils m'ont rien spécifié.

— En tout cas, à toi de voir. Si tu changes d'idée, tu sais comment me rejoindre.

Roger se leva.

— Merci, dis-je.

Il me tendit la main.

— Tu devrais pas rester tout seul.

— Non, ça va.

— T'es sûr ? Tu peux venir chez nous, si tu veux.

— Je vais être correct.

Roger poussa un soupir.

— O.K. Prends soin de toi. Nous, de notre côté, on va poursuivre. Fernand a l'air d'y tenir.

Cela faisait quelques heures que Roger était parti et je tournais en rond dans mon appartement. J'avais juste envie de me soûler… M'imbiber l'éponge qui me servait de cerveau. Ne plus penser à rien. Oublier. Regarder des séries télé en rafale, roulé en boule sur le divan.

Demain est un autre jour.

Mercredi 21 juillet

Il devait être deux heures du matin quand j'ai ouvert les yeux. Ça m'a pris quelques secondes pour réaliser où j'étais : endormi devant la télé. Je me suis traîné jusqu'à mon lit. On aurait dit que le sommeil, lui, était demeuré dans le salon. Impossible de me rendormir. Mon corps remuait et changeait de position constamment. La bouche sèche, l'estomac en compote. Je me suis finalement rendormi vers quatre heures.

J'ai fait des rêves étranges. Dans l'un d'eux, j'étais avec mon père et il cirait mes souliers tout en me prodiguant des conseils. Des choses qu'il m'avait déjà dites. Par exemple, il m'incitait à ne jamais me couper de ponts. En affaires, il n'y a pas d'amis, mais on en a toujours besoin. Puis, mes souliers vernis se transformaient en chaussures de sport. Il me montrait comment faire des boucles avec les lacets. Je n'ai jamais possédé de souliers vernis. C'est plutôt lui qui en portait. Tout petit, je me souviens comme j'aimais les brosser et étendre de la cire pour les faire reluire. À un autre moment, mon père était couché dans un lit, sur le ventre. Je lui caressais le dos nu en lui murmurant que c'était correct, qu'il pouvait s'en aller. Ce que j'aurais sans doute aimé vivre lors de ses derniers jours à l'hôpital. Mais j'avais trop peur de le voir mourir dans mes bras.

J'ai aussi rêvé à ma fille. Je me promenais dans la rue et je croyais deviner sa silhouette parmi les jeunes filles qui marchaient devant moi. J'accélérais le pas et, une fois arrivé à sa hauteur, je voyais le visage Charlotte, puis il se transformait aussitôt sous mes yeux. Ce n'était plus elle. En vérité, Charlotte se tenait à mes côtés et, chaque fois, elle me disait : « Non, ce n'est pas moi. » Je la cherchais partout, incarnée dans le corps d'une autre, mais je n'avais que son fantôme qui m'accompagnait.

Enfin, j'ai rêvé que j'étais un chien. Mon maître était un sadique qui me battait. Je passais le plus clair de mon temps dans une cage. J'avais faim et soif. Je tremblais quand j'entendais des pas et le bruit d'une chaîne. Ils étaient deux. Mon maître a ouvert la porte de ma cage, mais je refusais de sortir. Il m'a tiré par le collier. Il m'a flatté. Il faisait toujours ça avant de déverser sa colère sur moi. Cette fois, le jeune homme avec qui il était avait un couteau dans les mains. Mon maître lui donnait le choix. Il pouvait me couper la queue ou une oreille.

Je me suis réveillé en sursaut. Une douleur s'amusait à parcourir mon corps. Deux Tylenol avec un grand verre de jus l'ont ralentie. Le cadran me fixait. Il était plus de dix heures du matin. J'ai téléphoné à l'enquêteur Charles Desbiens. « Laissez un message après le bip. »

Il fallait que je m'occupe l'esprit. J'ai appelé Roger. Il m'a répondu qu'il passerait me chercher.

En chemin, Roger m'a informé que Fernand était déjà à son poste. La veille, à eux deux, ils avaient écarté cinq succursales possibles de notre liste de treize. Il a stationné sa voiture au coin de la rue de Lanaudière et de l'avenue du Mont-Royal, non loin du club vidéo.

— Comment vous procédez pour éliminer des suspects potentiels ?

— Jusqu'ici, je dois avouer qu'on a été assez chanceux. On cherche un type assez grand avec des cheveux courts bruns. On est tombés sur beaucoup de filles, des gars frisés, des blonds, des Arabes, des latinos, des trop petits… Mais pas de grand brun.

— Donc, vous entrez, vous faites le tour et vous ressortez. C'est ça ?

— Simple de même. Tu viens ?

— Je sais pas trop si c'est une bonne idée que j'y aille moi aussi. Je veux dire, si le gars a mon portable, il a pas seulement lu mes textes, il a également vu des photos…

— T'as peur qu'il te reconnaisse ?

— C'est une possibilité…

— Il peut rien te faire dans un endroit public, argua Roger.

— Peut-être pas, mais…

— S'il avait voulu s'en prendre à toi physiquement, je crois qu'il l'aurait déjà fait.

— Je suis pas certain, moi. Je pense qu'il a un plan…

— Un plan ? Voyons… Ce gars-là est juste un malade !

— Oui, un malade qui mutile, tue des animaux et des gens, qui m'envoie des courriels et qui se prend pour un gourou du mal. Il est peut-être fou, mais il sait ce qu'il fait.

— O.K. On va faire un peu de visualisation… Imagine que tu entres dans le club vidéo et que notre joyeux fêlé te reconnaisse. Qu'est-ce qui se passe, qu'est-ce que tu ferais si t'étais lui ?

— Je ferais semblant de rien… Je sais pas. Je m'enfuirais, je suppose. Mais je suis pas dans sa tête ! Il pourrait très bien me sauter dessus avec un couteau !

— Inquiète-toi pas, me rassura Roger en me montrant son revolver. J'ai pas peur de m'en servir s'il le faut.

Du plus loin que je me souvienne, j'ai toujours été quelqu'un d'angoissé. Sauf qu'avant je trouvais ça normal. En fait, c'est ceux qui ne l'étaient pas qui me paraissaient anormaux. J'étais un enfant solitaire. Ça ne me dérangeait pas de ne pas avoir beaucoup d'amis avec qui jouer. Je m'inventais des histoires. Je prenais une serviette de bain, je me la nouais autour du cou avec une épingle à linge et je devenais Batman. J'affrontais des hordes de méchants en forme de coussins du divan. Dans la piscine familiale, je passais le plus clair de mon temps sous l'eau. J'étais Aquaman ou James Bond. Il y avait un secret à découvrir dans les profondeurs ou un espion à délivrer des griffes de l'ennemi. À l'adolescence, je pouvais fixer le vide pendant des heures, dans une espèce d'état hors du monde. C'était ma façon de tromper l'ennui, de calmer la douleur de vivre. Le fameux spleen. Je souffrais, donc j'existais. Le bonheur était un rêve. J'écrivais des poèmes sibyllins ornés de mots rares. Des mots comme « stipendié », « cénotaphe », « spadassin »... Je pensais que c'était ça, écrire. Je recherchais l'émotion dans l'esbroufe.

À quinze ans, j'ai commencé à avoir des migraines. Ma mère m'a fait voir des spécialistes. Un neurologue m'a prescrit des calmants. Je me suis senti mieux, oui. Mais plus moi-même. J'aimais mes défauts. J'ai jeté les médicaments. Je ne voulais pas devenir « normal » si cela signifiait la suppression de mon identité, de ce qui me différenciait des autres. J'avais un tempérament impulsif que j'associais à la créativité. Le neurologue m'avait expliqué que les gens sujets aux migraines avaient les veines du cerveau plus petites. Enfin, c'est ce dont je me souviens. Se pouvait-il que le fondement de notre personnalité ne se résume qu'à ça, le résultat de veines, de neurones et d'hormones en plus ou moins grand nombre ? Je refusais de le croire. Je préférais la version des poètes. Tous des flocons de neige, uniques, sculptés par l'air du temps avant de choir sur terre.

Aujourd'hui, et depuis (trop) longtemps, je n'écris plus de poèmes. Je n'en lis aussi presque plus. Je devrais m'y remettre. La poésie a quelque chose de la prière. Une religion de la beauté.

Bref, je ne sais pas pourquoi, mais avant de descendre de la voiture de Roger, ces vers de Nelligan me sont venus en tête :

Ce fut un Vaisseau d'Or, dont les flancs diaphanes
Révélaient des trésors que les marins profanes,
Dégoût, Haine et Névrose, ont entre eux disputés.

Que reste-t-il de lui dans la tempête brève ?
Qu'est devenu mon cœur, navire déserté ?
Hélas ! Il a sombré dans l'abîme du Rêve !

Étrange d'entendre résonner la fin d'un sonnet qui annonçait le départ de son auteur vers la folie, au moment où j'allais peut-être enfin voir pour la première fois un fou meurtrier.

J'avais envie de dire à Roger de ne pas apporter son revolver. Les armes à feu me font craindre le pire. J'aurais pu lui suggérer d'enlever les balles, pour que l'objet ne soit qu'un élément dissuasif. Mais je n'ai pas osé. Et je dois avouer que Roger me faisait un peu peur. Il avait l'air d'un homme capable de tuer.

Nous sommes entrés dans le club vidéo. Il était là, au comptoir. Ce ne pouvait qu'être lui. Grand, brun, cheveux courts. Il correspondait à la description. Mais c'est son sourire quand nos yeux se sont croisés qui me l'a confirmé. Il m'a regardé comme s'il me connaissait. Comme s'il m'attendait. Il nous a accueillis en nous lançant un « bonjour » poli, comme on l'enseigne sûrement à tous les employés. Le client est toujours le bienvenu. Je me suis retourné pour lui faire face. Je l'ai observé un moment. Il a souri, l'air intrigué par mon attitude.

— Je peux vous aider ? demanda-t-il.

— Non, merci, ça va.

— Vous êtes certain ?

— Oui, oui…

Je voyais des clients dans le magasin qui nous regardaient. J'ai fait quelques pas en direction des nouveautés vidéo, avant qu'ils commencent à me trouver bizarre. Roger Leduc ne m'avait pas quitté d'une semelle.

— Tu crois que c'est lui ? me murmura-t-il de façon à ne pas être entendu.

Je lui fis signe que oui.

— Mais on peut pas être sûr, précisai-je à voix aussi basse.

J'ai tourné la tête et j'ai constaté que notre suspect n'était plus derrière le comptoir. J'ai subtilement donné un coup de coude à Roger pour attirer son attention.

— Il est parti…

Roger a alors pointé le doigt vers le fond du magasin. J'ai aperçu notre homme en train de ranger des boîtiers de film sur les tablettes. C'est à ce moment seulement que j'ai remarqué qu'il portait un badge sur sa poitrine. Sans doute son nom. Il fallait que je le sache.

Mine de rien, Roger est allé se poster devant la sortie. Pendant ce temps, je me suis approché du gars en ayant l'air de fureter parmi les films. Plus que quelques enjambées et je pourrais lire ce qu'il y avait d'écrit sur son badge. Il m'a surpris en m'adressant la parole :

— Vous avez changé d'idée ?

— Euh… À propos ?

— Vous voulez un conseil ? Vous cherchez quelque chose en particulier ?

Et c'est là que je suis resté stupéfait.

André.

Comme le gourou du mal dans le journal de Sébastien Marchand.

Je l'avais devant moi et je ne savais pas comment réagir.

— Monsieur ?…

Le salaud jouait parfaitement son rôle. Au point où je me suis mis à douter.

— André, c'est ça ?

— Oui, a-t-il répondu.

— Y a pas un autre André qui travaille ici ?

— Pas que je sache, non. Pourquoi ?
— Pour rien…
— Ah bon… Si vous avez besoin, vous savez où me trouvez.
— En effet…

Roger leva un sourcil en me voyant arriver. Discrètement, je lui fis signe de sortir du club vidéo. Aussitôt sur le trottoir, il voulut me questionner. Je secouai la tête. Je ne parlai qu'une fois dans sa voiture.

— C'est lui…, dis-je.
— Tu es certain ?
— Non.
— Je comprends pas…
— Quelles sont les chances qu'un employé se nomme André et qu'il corresponde à la description que nous en a faite le gars à l'hôpital ?
— Il s'appelle André ? C'est sûr que c'est lui.
— Je pense qu'on est mieux de vérifier si y a pas un autre André.
— Mais si c'est bien lui, et qu'il sait que nous sommes sur sa piste, il risque de se volatiliser !
— Il faut être certain.
— Qu'est-ce qu'on fait ?
— Restez ici. Surveillez-le. Suivez-le jusque chez lui quand il aura fini de travailler. Et tenez-moi au courant.
— Compris. Et toi ?
— Je vais faire un tour dans les autres succursales.
— O.K. Sois prudent…

À ce moment, le cellulaire de Roger sonna. C'était Fernand. Il nous informa qu'il avait vu un type qui ressemblait à celui que nous cherchions.

— Demandez-lui comment il s'appelle.
— Samuel, répondit Roger.

Il raccrocha.

— André n'est peut-être pas son vrai nom, fit-il observer.

— C'est possible... Même que ce serait plutôt astucieux de sa part.

Nous n'avions pas songé à cette éventualité.

— Je ferais mieux de rappeler Fernand.

— Vous pouvez me raccompagner chez moi ? Je voudrais prendre mon auto.

— Pas de problème.

J'aurais préféré que ce soit plus simple, mais nous ne devions rien négliger.

Pendant que Fernand et Roger traquaient nos deux suspects, voyant que j'avais un peu de temps devant moi selon l'horaire que nous avions établi, j'ai décidé de rendre visite à Marcel Deschamps. Il était hospitalisé à Saint-Luc.

Cet hôpital me rappelait de mauvais souvenirs. C'est là que mon père avait récemment vécu ses derniers jours. C'est aussi là, à l'urgence, où je me suis quelquefois retrouvé, pensant que j'allais mourir. Un endroit charmant, quoi. Dans l'ascenseur, des images de fantômes hantant les corridors m'ont traversé l'esprit. J'ai trop d'imagination.

L'état de Marcel ne s'était pas amélioré. Il était encore dans le coma. Toutefois, l'infirmière de garde me dit que le pronostic du médecin était bon et qu'il ne devrait pas en garder de séquelles graves. Mais il fallait attendre qu'il sorte du coma pour en être certain. Parfois, le patient a une perte de mémoire passagère et le centre de la parole peut être touché. Rien qui ne puisse se régler avec le temps et des exercices appropriés, selon son expérience. Je la remerciai pour sa bienveillance. La plupart des membres du personnel soignant sont des saints. On attend longtemps avant de recevoir des soins, mais, une fois qu'on est pris en charge, on ne peut que saluer leur travail.

Je suis entré dans la chambre de Marcel. J'avais l'impression de revoir mon père. Il était branché à une pléthore de moniteurs. Un corps dont la survie dépendait de machines.

On dit que les gens dans le coma peuvent nous entendre. Je me suis assis à côté de son lit. Je ne savais pas quoi lui dire. Au fond, on se connaissait peu. C'est l'enquête qui nous liait. Et la perte de nos enfants.

Je me sentais responsable de sa présence ici. Toutefois, rien n'indiquait que son assaillant était le type que nous recherchions. Marcel n'avait pas été mutilé et on n'avait pas retrouvé un extrait d'un de mes textes chez lui. Mais cela ne prouvait rien. Quelque chose me disait que Marcel avait vigoureusement défendu sa peau. Je ne serais pas étonné d'apprendre que les traces de sang sur mon portable cabossé provenaient de son agresseur. D'un autre côté, je m'interrogeais à propos de l'arme qu'avait utilisée ce dernier contre Marcel. Mais la question était surtout de savoir : pourquoi ? S'agissait-il simplement d'un vol qui avait mal tourné ? Possible. Le propriétaire surprend un malfaiteur chez lui, une bagarre éclate, et Marcel se retrouve à l'hôpital. Toutefois, je n'arrivais pas à m'ôter de la tête que le « voleur » convoitait mon ordinateur. Et qu'au lieu de le lui remettre, Marcel avait préféré le détruire, provoquant sa colère.

— Je suis désolé…, murmurai-je.

Comme si je parlais à mon père.

Ma femme me dit que je travaille trop. La preuve : les seules vraies vacances que j'ai, c'est quand je rentre à l'hôpital. Elle voudrait que je prenne ma retraite, avant de mourir. Qu'on fasse des voyages. Qu'on visite des places qu'on voit juste à la télévision. Ou bien qu'on parte sur des *nowhere* comme quand on était jeunes mariés. Je pense que le jour où je vais arrêter de travailler, je vais être trop malade pour aller ailleurs que sur mon divan. De toute façon, je sens que j'en ai pas pour longtemps. Je travaille plus parce que j'aime ça, mais pour pas trop penser. Perdre ma petite-fille m'a fait trop mal. Pas la retrouver, c'est pire. Elle avait juste quinze ans. Ça l'intéressait, les enquêtes. C'était elle, ma chance. Pas juste pour la business. Pour me reprendre dans ce que j'ai manqué. Peut-être pas manqué, mais pas fait comme il faut. C'est peut-être ça qui me tue plus que le travail. Hier, j'ai entendu Jean parler avec sa mère. C'est un peu ça qu'il disait. Les regrets le hantent, les choses qu'il aurait voulu vivre ou mieux faire avec Charlotte. Ma femme lui a demandé s'il trouvait qu'on a été des bons parents. Il a répondu qu'on avait fait de notre mieux avec ce qu'on avait. C'est ingrat, des enfants. Même quand c'est rendu des hommes. Moi, je suis parti de chez nous dès que j'ai pu. J'avais même pas dix-huit ans que je déménageais en ville avec deux de mes frères. J'ai revu mes parents quand je me suis marié pis quand je suis allé leur montrer mes enfants. Sont jamais venus nous visiter. C'est de même. Les petits-enfants, c'est une chance de se racheter. Si tu la prends pas, tant pis pour toi. Mais quand on te l'enlève…

Jeudi 22 juillet

Finalement, hier, après avoir visité Marcel à l'hôpital, je n'avais plus trop envie de poursuivre la chasse à l'homme. J'étais un peu démoralisé... J'ai téléphoné à Roger. J'avais le goût de prendre un verre, je ne voulais pas rester seul. Il m'a dit d'aller l'attendre à son appartement.

J'ai stationné ma voiture à un coin de rue de chez Roger. Sortant de ma poche le double des clés qu'il m'avait laissé, j'ai déverrouillé la porte et je suis entré. J'ai déposé mon portable sur la table de la cuisine. (Depuis l'agression qu'avait subie Marcel, je ne m'en séparais plus.) Il n'y avait plus de bière dans son réfrigérateur. Je suis donc sorti pour aller en acheter.

Et c'est tout ce dont je me souviens.

Quand j'ai ouvert les yeux, je ne voyais rien. J'éprouvais de la difficulté à respirer et j'avais très mal à la nuque. Ça m'a pris quelques secondes avant de comprendre que j'avais une taie d'oreiller sur la tête. J'étais assis sur une chaise. Puis, j'ai réalisé que mes bras et mes jambes étaient attachés. Les battements de mon cœur se sont accélérés. J'avais des bouffées de chaleur. De la sueur perlait sur mon visage.

Où étais-je ?

Qui m'avait… kidnappé ?

Autour de moi, j'entendais un ronronnement de machines. J'ai évité de bouger. Je craignais que le moindre mouvement de ma part n'alerte mon ravisseur. J'essayais de deviner à l'aide des bruits ambiants l'endroit où j'étais. Mais, outre un grondement sourd et régulier, rien d'autre ne parvenait à mon oreille. Une légère odeur d'humidité flottait dans l'air. J'avais l'impression d'être dans une cave. Il faisait frais, malgré la chaleur à l'extérieur.

Je suis demeuré comme ça pendant de longues minutes, à l'affût.

Soudain, j'ai entendu une porte s'ouvrir, puis des bruits de pas qui semblaient descendre un escalier, suivis du frottement de semelles sur le plancher. Une personne se rapprochait de moi. Ensuite, plus rien.

Quelqu'un m'observait en silence.

Quelqu'un qui respirait fort.

— Je sais que tu es réveillé, dit une voix.

Je connaissais ce timbre… Fernand ?

Il a enlevé le sac que j'avais sur la tête. À son regard, j'ai saisi qu'il n'était pas là pour me libérer.

— Mais… Voyons… Qu'est-ce qui se passe ?

— Roger va arriver tantôt. Il t'expliquera. Après tout, c'était son idée.

Dire que je ne comprenais plus rien serait un euphémisme. Fernand est parti et m'a laissé seul avec mes questions.

Roger et Fernand m'avaient assommé, puis transporté ici. Pourquoi ? C'était surréaliste. Qu'est-ce qu'ils comptaient faire de moi ? Là encore, aucun indice. Tout ça ne présageait rien de bon. Voulaient-ils me tuer ? Mais pour quelle raison ?

Fernand avait dit que c'était l'idée de Roger. D'une certaine façon, ça ne me surprenait pas. D'aussi loin que je me souvienne, Fernand avait toujours été l'exécuteur des volontés de Roger.

Quand j'étais plus jeune et que je travaillais au bureau de mon père, l'été, Roger passait son temps à rabrouer Fernand pour des broutilles et celui-ci ne réagissait pas. Même mon père n'en faisait plus de cas. Roger s'était calmé avec les années, mais leur relation n'avait pas vraiment changé. Le patron, c'était Roger. Fernand avait toujours été un bouc émissaire. Je me rappelle un jour où il m'avait raconté des anecdotes de sa jeunesse. Aujourd'hui, on parlerait d'intimidation. Roger était probablement le premier et seul ami de Fernand, lequel ne ferait jamais rien pour le décevoir. Fernand n'était pourtant pas un imbécile, loin de là. Une sorte de handicapé émotif... Quoi qu'il en soit, encore maintenant, Fernand obéissait aux ordres de Roger.

Cependant, le fait que j'étais encore vivant me permettait d'espérer. Mais pour combien de temps ?

J'essayais d'échafauder différentes hypothèses sur leurs motivations, mais je butais chaque fois contre un mur d'incompréhension.

J'étais en train de devenir fou.

Je n'avais que des pourquoi qui rebondissaient dans ma tête. Se pouvait-il que Fernand et Roger ressemblent au tandem Sébastien Marchand et André, son gourou du mal ?

André m'a montré son territoire de chasse, quand y a rien à faire. C'était drôle en hostie de voir toutes les affiches de chats pis de chiens perdus sur les poteaux dans le coin. On s'arrêtait à chacune pis y me racontait ce qu'il leur avait fait. Un tel, y l'avait crissé dans le bain après lui avoir coupé les pattes, pis y l'avait regardé se débattre pis se noyer. Un autre, y lui avait crevé les yeux pis y l'avait lâché lousse dans le gros trafic de la rue Sherbrooke. Le chat bougeait pas pantoute, ç'a l'air! Une autre fois, y avait éventré un chat pis y avait donné ses tripes à manger à un chien. Ça mange n'importe quoi, un chien. Mais la meilleure, c'est quand y a cloué un p'tit chien après un poteau, juste en dessous de l'affiche que ses maîtres avaient posée. J'ai ri en hostie. Tiens, tu voulais le retrouver, ton chien, le v'là! Ça aurait été trop hot si y avait été sonné chez eux pour avoir la récompense. Y dit que y a raté la shot quand les propriétaires du chien ont vu leur animal sur le poteau. Mais que c'était mieux de même, sinon y aurait pu se faire pogner. Faut choisir ses plaisirs, qu'y dit. Y est vraiment brillant, ce gars-là.

J'entendis la porte s'ouvrir de nouveau. Je vis Roger, suivi de Fernand, descendre l'escalier. Roger tenait une grande enveloppe.

— Ça va ? me demanda-t-il.

— Pas trop, non.

— Désolé pour toute cette mise en scène, mais les choses commençaient à aller trop loin.

— Quelles choses ?

— C'est compliqué...

— Qu'est-ce que vous allez faire de moi ?

— Rien... si tu coopères, susurra-t-il.

— Mais à quoi ? criai-je, m'énervant.

— Chut... Du calme.

— Sacrament...

— Je sais, c'est pas évident.

— Pas vraiment, non !

— On peut revenir plus tard, si tu préfères, quand tu seras moins sur les nerfs.

— Heille..., mes deux hosties...

— Je crois pas que tu sois en position de nous menacer.

— Mais qu'est-ce que vous me voulez ?

Roger brandit alors son enveloppe et en sortit une liasse de papiers.

— On aimerait que tu signes ça.

— C'est quoi, ça ?

— Un contrat.

— Hein ?

— Une cession, pour être plus précis.

— On veut que tu nous donnes l'agence, intervint Fernand, qui était resté silencieux jusque-là.

— Pourquoi je ferais ça ?

— D'après toi ? dit Roger avec un sourire narquois.

— Vous étiez pas censés l'acheter avec Marcel ? demandai-je, étonné.

— Pas vraiment, non, répondit Fernand.

— On a dit ça pour gagner du temps, ajouta Roger.

— Je comprends rien à votre affaire…, articulai-je en poussant un profond soupir.

— C'est pourtant simple. Ton père nous avait promis de nous léguer son agence. Et là, après sa mort, on apprend que c'est toi qui en hérites. J'ignore pourquoi il a changé son fusil d'épaule.

— Peut-être qu'après avoir réfléchi il s'est dit que de confier son agence à deux idiots, c'était pas une bonne idée, fis-je remarquer.

Roger n'apprécia pas ma bravade. Il empoigna mon chandail d'une main et me secoua.

— Ferme ta gueule, espèce de parasite prétentieux !

J'avais très envie de répliquer, mais je me retins.

— Tu vas signer ça et après tu pourras partir.

— Sinon quoi ?

— Je te laisse deviner…, répondit-il en retroussant un pan de sa veste, dévoilant ainsi son revolver à sa ceinture.

Roger, un assassin ? J'avais de la difficulté à me l'imaginer. Encore plus Fernand. Pourtant, j'avais eu des signes. Ses colères subites, sa façon de jouer avec son revolver… D'un autre côté, je n'aurais jamais non plus envisagé qu'ils puissent me kidnapper.

— À quoi ça vous servirait de me tuer ? Vous seriez pas plus avancés.

— C'est vrai, ça, lâcha Fernand.

— Tais-toi..., lui intima Roger.

Leur plan sentait l'improvisation, voire la panique. Du moins, il n'avait pas de sens à mes yeux.

— C'est vous qui avez agressé Marcel ? leur demandai-je.

— C'était devenu nécessaire, plaida Roger. Malheureusement, Marcel est encore en vie et la police t'a pas accusé.

— C'était ça, votre plan ? Tuer Marcel et me faire porter le chapeau !

— Tu aurais eu un dossier criminel, dit Fernand.

— T'aurais plus eu le droit d'avoir une agence. Et, de toute façon, une fois en prison, t'aurais pas pu continuer à diriger l'agence.

— Mais pourquoi essayer de tuer Marcel ? Il vous avait rien fait !

— C'est-à-dire... Il allait découvrir que c'est nous qui avons envoyé les courriels provenant de l'adresse de ta fille, avoua Roger.

— Quoi ?

J'étais estomaqué, c'est le moins que je puisse dire.

— Mais pourquoi ? m'exclamai-je.

— Pour te miner le moral, pour te donner envie de tout lâcher, et peut-être même...

Roger laissa sa phrase en suspens. Je compris toutefois où il voulait en venir. C'est à ce moment qu'une évidence soudaine me frappa : leurs esprits tordus étaient vraiment prêts à tout, même à me pousser au suicide.

— Mais ça se peut pas ! Vous étiez tous les deux là quand j'ai reçu le dernier courriel.

Roger sourit.

— Je te l'ai envoyé de mon cellulaire quand j'étais aux toilettes, chez moi.

J'ignore ce qui me faisait le plus mal : apprendre que ma fille n'était pas l'auteure des courriels ou m'être fait duper par ces hommes que je connaissais depuis l'enfance. Je ne me serais probablement pas investi autant dans cette enquête si j'avais su. J'avais vraiment espéré que Charlotte était vivante. C'était comme si elle disparaissait une seconde fois.

— Et mes textes sur les murs, le meurtre ?

— On a rien à voir avec ça, assura Roger. Et on commençait à trouver cette enquête un peu trop dangereuse. Mais c'était la seule façon de te surveiller.

Il y avait donc vraiment un malade quelque part qui se baladait avec mon ancien portable, avec mes textes dedans, des photos de ma fille… Et il s'agissait peut-être de l'employé du club vidéo que j'avais abordé. Paradoxalement, cette « certitude » me redonna espoir. J'allais, peut-être, enfin savoir ce qui était arrivé à Charlotte.

— Alors, tu signes ou pas ?

Trop de choses se bousculaient dans ma tête. Je ne parvenais pas à comprendre comment Roger et Fernand pouvaient croire qu'ils s'en tireraient. Aussitôt qu'ils me relâcheraient, j'irais tout raconter à la police. Ils devaient y avoir pensé. Bien sûr, ce serait leur parole contre la mienne. C'est peut-être là-dessus qu'ils tablaient. Ça me semblait mince. Il y aurait une enquête, sans doute un procès, qui nous coûterait cher à tous… À moins qu'ils n'aient décidé de me supprimer. Faire passer ma mort pour un accident, un suicide, que sais-je ? Quoi qu'il en soit, signer leur contrat ne m'apparaissait pas un gage de liberté.

— Je peux y réfléchir ?

Fernand et Roger se regardèrent. Sans un mot, ils s'éloignèrent quelque peu pour discuter. Qu'est-ce qui se produirait s'ils me tuaient tout de suite ? L'agence de mon père serait-elle dissoute, mise aux enchères ? Je n'en avais aucune idée. Je supposai qu'ils avaient étudié cette question et connaissaient la réponse mieux que moi. Cependant, il était possible que, dans la précipitation, ils n'aient pas eu le temps d'en vérifier tous les aspects.

Le cellulaire de Roger sonna. D'où je me trouvais, je vis son air surpris lorsqu'il regarda l'afficheur. Il porta le téléphone à son oreille. Il répéta « allô » plus d'une fois avant de raccrocher. Ensuite, tout se passa très vite. À l'étage, un bruit sourd se fit entendre. Puis, des pas rapides résonnèrent sur le plancher. Des éclats de voix. La porte du sous-sol s'ouvrit avec fracas. Des policiers de l'escouade tactique dévalaient les marches.

Vendredi 23 juillet

Fernand n'a opposé aucune résistance. Les policiers lui ont ordonné de se coucher par terre et l'ont neutralisé. Roger, lui, s'est précipité à l'autre bout de la cave pour se réfugier derrière une pile de boîtes de carton. Il a brandi son revolver. Instinctivement, craignant qu'il ne me vise, j'ai fait valser la chaise sur laquelle j'étais attaché et je suis tombé à la renverse sur le côté. Deux policiers pointaient leurs fusils en direction de Roger. J'étais pris entre deux feux.

— Lâchez votre arme ! a crié l'un des policiers.

Roger n'a pas obtempéré.

— Lâchez votre arme ! a insisté le policier.

En un rien de temps, d'autres membres de l'escouade tactique sont arrivés.

— C'est fini, Roger, a dit Fernand, immobilisé au sol par un policier à genoux sur son dos.

J'ai entendu le bruit d'une détonation.

J'ai fermé les yeux et tout mon corps s'est crispé.

Je n'étais pas touché.

Roger s'était tiré une balle dans la tête.

On m'a transporté à l'hôpital, par mesure préventive. Je suis resté un bon moment replié sur moi-même dans le lit. On m'a fait avaler des calmants qui ont fini par faire effet. Je me suis endormi.

Dans la soirée du 21 juillet, j'ai reçu la visite d'un médecin. Il m'a donné mon congé, ainsi qu'une ordonnance. J'allais obtenir un rendez-vous avec un psychologue de l'hôpital dans les prochains jours, m'a-t-il dit, à moins que je ne préfère consulter plus rapidement du côté du privé. Il m'a souhaité bonne chance.

J'étais en train d'enlever la jaquette qu'on m'avait fait revêtir quand le médecin est revenu.

— J'oubliais… J'ai un message pour vous.

Il me remit un bout de papier sur lequel était inscrit un numéro de chambre. C'était signé : Marcel.

Après m'être habillé, j'ai pris l'ascenseur avec l'intention d'aller voir Marcel. De toute évidence, il était sorti du coma. Lorsque les portes se sont ouvertes sur son étage, j'ai hésité. Je ressentais une grande fatigue, autant physique que mentale. J'ai tendu le bras pour bloquer la fermeture des portes. Je me suis rendu au poste des infirmières. J'ai laissé une note pour Marcel.

Samedi 24 juillet

Ce fameux 21 juillet, en fin de soirée, je suis rentré chez moi en taxi. J'ai pris un calmant. Je me suis endormi rapidement. À mon réveil, j'avais l'impression d'avoir rêvé toute la nuit. Des rêves intenses, hyper réalistes. Des rêves en haute définition, avec des couleurs vives. Un diaporama de milliers d'images se superposant les unes aux autres. Sans doute était-ce dû à l'effet du médicament et de l'accumulation de stress de la journée. Mon cerveau semblait être passé à la déchiqueteuse des tas de souvenirs indésirables.

En me versant du jus, ce matin-là, j'ai songé que j'aurais très bien pu ne jamais le boire. J'aurais pu rendre l'âme dans le sous-sol de cet immeuble. Ma première gorgée n'en fut que meilleure. Elle goûtait la vie.

La gorgée suivante eut cependant un arrière-goût de mort. J'imaginais la tête de Roger qui explosait. Je fixais mon verre de jus de fruits rouge. Du sang. Partout.

Pour me changer les idées, je m'étais préparé un bol de café au lait. Mais je n'arrivais pas à m'enlever de l'esprit les événements de la veille. Roger était mort et Fernand écoperait d'une peine de prison de je ne sais combien d'années. J'espérais que ce serait le plus longtemps possible. Pas tant pour le punir que pour ne pas avoir à craindre de le croiser quelque part par hasard. J'ignore comment je réagirais. Étonnamment, je ne lui en voulais pas vraiment. Pas encore, du moins. J'avais plutôt pitié de lui. Quelle sorte d'existence l'attendait derrière les barreaux ? Un gros naïf au milieu de criminels endurcis. J'avais le sentiment qu'il n'avait fait que suivre Roger. Néanmoins, comme disait ma mère : « Qui est le plus voleur ? Celui qui tient le sac ou celui qui met les affaires dedans ? » Fernand Levasseur n'avait que ce qu'il méritait.

Je redoutais le procès, qui ne saurait tarder. Je serais forcément appelé à témoigner et j'aurais à revivre cette journée en détail durant des jours, voire des semaines. Quoiqu'avec la lenteur de notre système de justice, il était aussi probable que ça prenne des mois avant que Fernand ne soit jugé.

Une chose me chicotait. Qui avait informé les policiers de mon enlèvement ? Et comment avaient-ils su que j'étais détenu dans cet immeuble vacant du quartier industriel ? L'escouade tactique qui intervenait, ce n'était pas rien. Il fallait qu'elle ait été prévenue un certain temps à l'avance pour déployer autant d'hommes. Avais-je fait l'objet d'une filature ? À moins que ce ne soit un voisin qui, ayant vu Roger ou Fernand m'assommer, puis me transporter dans sa voiture, a averti la police ? Je me proposais d'éclaircir la question plus tard.

Maintenant que je me sentais mieux, après quelques jours de repos, je devais récupérer mon auto et surtout mon portable qui était resté chez Roger. Je n'avais pas du tout envie qu'on fouille dedans et qu'on découvre mon journal et la liste des clubs vidéo à surveiller. (Sans parler que ça faisait bizarre d'écrire à la main.) Mais, pour ça, il faudrait que je contacte le poste de police, je suppose. Je n'avais plus le double des clés de Roger dans mes poches. Il avait dû tomber au moment de ma chute ou il me l'avait repris. J'avais peur que son appartement ne soit sous scellés, considéré comme une scène de crime accessoire ou quelque chose du genre, ou encore que mon ordinateur n'ait déjà été saisi. Peut-être que je pourrais trouver un moyen de pénétrer dans son domicile.

Mon auto était toujours garée à un coin de rue de chez Roger. Il n'y avait pas de voiture de police devant son immeuble. La voie paraissait libre. Pour ne pas trop attirer l'attention, j'ai choisi de passer par-derrière. Je me voyais mal défoncer la porte de son appartement sans faire de bruit et je n'avais pas de talent particulier dans le crochetage de serrures. Je me rappelais que la porte-fenêtre ne se fermait pas facilement. Roger habitait au deuxième étage. La porte de la cour arrière était cadenassée. J'ai sauté la clôture. Il semblait n'y avoir personne au premier. J'ai gravi les marches une à une, en jetant un coup d'œil derrière moi pour m'assurer que je n'étais pas observé. J'ai mis le pied sur le balcon du deuxième; l'épais feuillage du gros arbre dans la cour masquait ma présence aux voisins d'en face.

J'avais vu juste. La porte a été facile à ouvrir. Mon portable n'était pas sur la table de la cuisine, là où je me rappelais l'avoir laissé. J'ai regardé dans le salon, dans la chambre de Roger, j'ai même fouillé dans les tiroirs de sa commode, sous son lit et dans les placards.

De deux choses l'une: soit Roger l'avait caché ailleurs, soit les policiers l'avaient en leur possession. Dans ce dernier cas, j'imagine que je ne tarderais pas à entendre parler. Seulement, à voir l'état de l'appartement, il ne paraissait pas avoir fait l'objet d'une fouille. Tout était aussi bien rangé que le jour de ma visite.

Soudain, j'ai entendu un bruit de clé qui tourne dans une serrure. Je me suis précipité sur le balcon et j'ai pris soin de refermer la porte-fenêtre. J'ai dévalé les marches et sauté la clôture comme si ma vie en dépendait. Puis, je me suis mis à courir, sans me retourner, jusqu'à mon auto. En démarrant, j'ai aperçu un véhicule noir stationné devant l'immeuble de Roger. Il n'était pas là à mon arrivée. Ça ressemblait au genre de voiture banalisée qu'utilisent les enquêteurs. Je pouvais aussi me tromper, mais je ne voyais pas qui d'autre aurait pu avoir les clés de l'appartement de Roger.

Je n'étais donc pas plus avancé. Toutefois, je me disais que, s'il s'agissait bien des enquêteurs, il se pouvait qu'ils n'aient pas mon ordinateur en leur possession. Il était possible que Roger l'ait emporté, qu'il se trouve dans le coffre de sa voiture, par exemple. Il s'en était probablement débarrassé, pour ne pas laisser de traces.

Je poussai un profond soupir.

Il fallait que je sois zen.

Je devais me rendre à l'évidence : je ne retrouverais pas mon portable. Au moins, mes textes étaient sauvegardés dans le nuage.

Lâcher prise.

Le solde de ma carte de crédit approchait de sa limite. J'avais remarqué, pas loin de chez moi, une boutique de vente d'ordinateurs d'occasion. J'y ai trouvé ce dont j'avais besoin et à bas prix. Un MacBook Air assez récent à six cents dollars. C'était à se demander si ce n'était pas du recel. Mais bon, je n'ai pas posé de questions, trop heureux de mon aubaine.

Je ne connais pas grand-chose à l'informatique, mais j'adore les ordinateurs. J'ose à peine imaginer comment faisaient les écrivains avant leur invention. Une plume et un encrier, vraiment ? L'imprimerie a été une révolution. La machine à écrire a été une évolution, et l'ordinateur englobe les deux. Bref, j'ai transféré toutes mes données sauvegardées dans le nuage et sur mon disque dur externe dans mon nouveau vieux Mac. Puis, j'ai retranscrit les récentes entrées de mon journal.

En fouillant dans mes poches pour retrouver et ranger la facture de mon dernier achat, je suis tombé sur le message de Marcel et son numéro de chambre. Je me suis senti ingrat de ne pas lui avoir rendu visite plus tôt.

Marcel avait bonne mine pour un type qui était encore dans le coma il y a quelques jours à peine.

— Hé que je suis content de te voir ! me lança-t-il.

— Et moi, donc !
— Tes deux employés t'ont pas battu, on dirait.
— Non… Mais comment êtes-vous au courant ?
— C'est moi qui ai appelé du renfort pour te sortir de là.
— Je comprends pas…
— Ils ont essayé de me tuer !
— Oui, je sais.
— Avant qu'ils arrivent chez moi avec un bâton de baseball, mon contact en informatique avait eu le temps de remonter à l'origine du courriel. J'allais te téléphoner quand ils ont sonné.
— Vous auriez pas dû leur ouvrir…
— Je me pensais fin… Je voulais les confronter. Mais j'aurais jamais cru qu'ils s'en venaient me régler mon compte !
— Donc, vous saviez que le courriel provenait du cellulaire de Roger ?
— Oui. Lui et Levasseur, deux beaux salauds…
— J'ai été aussi étonné que vous.
— Désolé pour ton ordinateur. Je me suis défendu avec.
— Voyons, c'est pas grave. Et puis, je m'en suis acheté un autre. Cela dit, vous avez l'air bien. Pas trop de séquelles ?
— Non, comme neuf ! J'ai un peu mal à la tête, mais ça devrait rentrer dans l'ordre, m'a dit le docteur. Où t'en es avec l'enquête sur le sadique ?
— J'ai pas vraiment eu le temps de penser à ça.
— Ouais, je comprends… Mais as-tu l'intention de poursuivre les recherches ?
— Je sais pas. Le fait que ma fille n'a finalement rien à voir dans cette histoire, je suis moins motivé, disons.
— Le gars écrit quand même tes textes sur des murs !
— Je devrais peut-être raconter tout ça à la police et la laisser faire son travail.
— Son travail… Les dossiers s'empilent les uns sur les autres, jour après jour… Si l'affaire se boucle pas dans les soixante-douze

heures, ça devient juste un cas de plus qui traîne sur le bureau. Je le sais, j'ai été flic, moi aussi. C'est pas de la mauvaise volonté, c'est le manque de temps, d'effectif. Je me fierais pas trop à la police, à ta place. C'est pas pour rien que les riches engagent des détectives. C'est comme à l'hôpital. Si j'avais pas mes assurances de la police, je serais dans un corridor, pas dans une chambre privée. La justice aussi est à deux vitesses.

— Je suis pas un vrai détective, Marcel. Et j'ai pas d'argent pour en embaucher un.

— Je vais t'aider, voyons !

— Vous sortez du coma !

Marcel me surprit en éclatant de rire.

— Les mauvaises langues te diraient que j'y ai toujours été.

Dimanche 25 juillet

Marcel en avait encore pour plusieurs jours avant d'obtenir son congé de l'hôpital. Selon lui, c'était le scénario pessimiste. Il croyait être sur pied avant ça et prêt à reprendre le travail de terrain. D'ici là, je lui avais promis de réfléchir à ce que je voulais faire : continuer notre enquête ou confier le tout à la police.

Hier, en revenant chez moi, j'avais un message sur mon répondeur. Le sergent Rémi Fortin souhaitait me parler dans les plus brefs délais au sujet de mon enlèvement. Je ne l'ai pas rappelé tout de suite. Je devais penser à ce que j'allais lui raconter. J'ignorais si Fernand avait révélé quoi que ce soit concernant le sadique que nous poursuivions. Il fallait que je le sache avant de rencontrer le sergent. Selon les informations qu'avait obtenues Marcel, Fernand avait été transféré dans un pénitencier fédéral en attendant de subir son procès, car il encourait une peine de plus de deux ans de prison.

Tôt ce matin, j'ai téléphoné à l'établissement carcéral et j'ai demandé si j'avais le droit de rendre visite à Fernand Levasseur, même si j'étais sa « victime ». On m'a expliqué que, contrairement aux prisons provinciales, la loi fédérale n'imposait pas de restriction sur la liste de visiteurs. Toutefois, il fallait que le détenu m'ait inscrit sur son formulaire de visite. Ça m'aurait étonné que

Fernand ait songé à m'y ajouter. L'agent m'a assuré qu'il soumettrait ma requête à l'accusé.

Étonnamment, je n'ai pas eu à attendre longtemps. Vers la fin de l'avant-midi, je recevais un coup de fil du pénitencier m'informant que Fernand Levasseur avait autorisé ma visite. J'ai supposé que j'étais probablement la seule personne au monde qui irait le voir. Fernand n'avait pas de famille ni d'amis, outre Roger et mon père. Je pouvais m'y rendre aujourd'hui même, si je le désirais. Il y avait une plage horaire prévue en début d'après-midi. Spontanément, j'ai dit oui.

Mais, après avoir raccroché, je n'étais plus certain que je voulais me retrouver face à face avec Fernand. J'avais répondu par l'affirmative sans réfléchir, surpris qu'on m'offre la possibilité de le rencontrer aussi vite. Pourquoi Fernand avait-il accepté ? Éprouvait-il des remords ? Sentait-il le besoin de s'expliquer ? À moins qu'il n'ait interprété ma demande comme une chance pour que je plaide en sa faveur et que sa peine soit réduite ? Je n'aurais pas de réponses à mes interrogations tant que je ne l'aurais pas devant moi. Seulement, je redoutais ma réaction à ce moment-là.

À mon arrivée au pénitencier, on a vérifié mes papiers d'identité. Ensuite, un gardien m'a conduit dans un petit local pour une fouille. J'avais en tête des scènes de films où les visiteurs subissaient d'humiliantes fouilles à nu. Heureusement, on ne m'a pas obligé à me déshabiller. Le gardien a palpé tout mon corps, de la tête aux pieds, devant et derrière, autour des jambes et dans les plis de mes vêtements. Ensuite, il a inspecté mes poches, même si je les avais déjà vidées, et j'ai dû retirer mes souliers.

J'avais beau savoir que je n'étais pas un criminel recherché, j'avais néanmoins peur qu'il ne décide de me jeter en cellule. Nous nous sentons tous coupables de quelque chose…

Après avoir traversé différents couloirs sentant l'eau de Javel et franchi plusieurs portes sécurisées, je me suis retrouvé au parloir, où des prisonniers en uniforme de détenu discutaient avec des membres de leur famille. Certains étaient menottés à leur table. Inquiétant. La pièce était plus petite que je ne l'aurais imaginé. Il y avait une quinzaine de tables tout au plus. On aurait dit une salle de classe, sans fenêtres, avec des murs blancs et éclairée au néon. Quatre hommes armés montaient la garde. J'avais pour consigne de n'établir aucun contact physique.

Fernand était assis seul au milieu du groupe. Malgré sa corpulence, il paraissait tout petit. Les épaules voûtées, on aurait cru qu'il cherchait à disparaître. On prétend que les policiers passent un mauvais quart d'heure en prison. Je me suis demandé s'il en allait de même pour les détectives privés. Je ne pense pas que Fernand ait contribué à faire incarcérer qui que ce soit. À ce que je savais, les enquêtes de mon père ne portaient pas sur des criminels, mais plutôt sur des fraudeurs d'assurances ou des maris infidèles. Pas le genre d'individus qui finissent derrière les barreaux. Néanmoins, l'univers carcéral, avec ses gangs rivaux de bandits, pouvait sans doute rendre la vie dure à quiconque y était étranger. Je n'aurais pas voulu être à sa place. Je venais seulement d'arriver et j'avais déjà un peu de difficulté à respirer. Mais je savais que je n'allais pas passer plus d'une heure ici.

Je lui tendis machinalement la main. Il ne répondit pas à mon geste. Sur le coup, je sourcillai. Puis, je me rappelai la règle : pas de contact physique. Je me demande encore pourquoi j'ai eu envie de lui serrer la main. Possiblement pour me faire croire, l'espace d'un instant, que je n'étais pas un visiteur dans une prison.

— Bonjour, Fernand.

— Pourquoi tu voulais me voir ? me lança-t-il sans ambages.

J'aurais pu lui retourner sa question.

— Parce que j'aimerais savoir certaines choses.

— C'était pas mon idée. C'est Roger.

— Peut-être. Mais pourquoi l'avoir suivi ?

Fernand me regarda sans répondre.

— Il vous a obligé ?

Nouveau silence.

— Il est mort, de toute façon, dit-il après un moment.

— Justement. À quoi bon le protéger ?

— Sa parole contre la mienne…

— Vous n'avez pas de preuves pour l'incriminer ou vous disculper, si je comprends bien.

Fernand émit un rire bref en haussant les épaules.

— Des preuves…, murmura-t-il en secouant la tête comme s'il me trouvait ridicule. À moins que ce ne soit de lui-même qu'il se moquait.

— Bon…

Je commençais à me demander pourquoi j'étais venu ici. Je décidai de changer de tactique.

— Avez-vous parlé aux policiers de notre, enfin, de mon enquête ?

— Ah… C'est pour ça…

— Oui ou non ? insistai-je.

— J'ai répondu à leurs questions.

— À quoi vous jouez ?

Il parut surpris par ma soudaine impatience.

— Et toi ?

— Je vous ai posé une question…

— Comme disait Willie Lamothe : « J'aime mieux mourir incompris que de passer ma vie à m'expliquer. »

Il semblait prendre un grand plaisir à se moquer de moi.

— Honnêtement, Fernand, j'étais venu ici dans l'espoir de comprendre et peut-être même de vous aider. Mais là…

— M'aider ?

— Pour votre information, de mon côté, j'ai pas encore parlé avec les policiers. J'ignore ce que vous leur avez raconté. Mais si, comme je le pense — du moins je le souhaite —, vous êtes pas coupable, je peux vous être utile, oui.

— Comment ?

— En établissant clairement auprès des enquêteurs que c'est Roger qui menait le bal ; que vous étiez, en quelque sorte, vous aussi une victime et non son complice.

Fernand appuya ses coudes sur la table, laissa tomber son menton dans sa main droite et détourna le regard. Il demeura ainsi pendant près d'une minute.

— Pourquoi tu ferais ça ? me demanda-t-il en sortant de son mutisme.

— Vous êtes coupable oui ou non ?

Il prit un temps avant de répondre.

— Oui et non…

— Ça veut dire quoi, ça ? fis-je, un brin agacé.

— C'est vrai que c'était l'idée de Roger, pas la mienne. Même que j'ai tenté de le dissuader. Mais…

— Mais quoi ?

— Mais c'est moi qui t'ai assommé, avoua-t-il.

J'accusai le coup, pour ainsi dire.

— Mais comme j'ai dit, c'était son idée. Moi, je voulais pas faire ça.

— Pourquoi l'avoir fait alors ?

Fernand soupira.

— C'est compliqué… J'avais pas le choix ! Sinon Roger menaçait de m'exclure de l'agence et de s'en prendre à moi. Je le connais, je suis sûr qu'il l'aurait fait.

— Vous auriez pu le dénoncer.

— Avec quelles preuves ? s'exclama-t-il. Je me serais jamais trouvé un autre emploi…

Fernand avait les larmes aux yeux.

— Je m'excuse, Jean… Ton père était un homme bien. Et toi aussi. Ça aurait pas dû se rendre jusque-là.

Il paraissait sincère. S'il me jouait la comédie, c'était le rôle de sa vie.

— Je comprends, Fernand.

Je ne savais pas quoi ajouter.

— Et pour répondre à ta question, non, j'ai rien dit au sujet de l'enquête. On m'a rien demandé là-dessus.

— OK…

— Tu vas m'aider, Jean ?

— Je vais voir ce que je peux faire. Je vais essayer, en tout cas. Promis.

— Merci, Jean. Merci.

J'étais un peu secoué en sortant du pénitencier. Combien d'autres Fernand Levasseur croupissaient derrière les barreaux ? Combien de naïfs s'étaient fait entraîner dans des affaires louches malgré eux ? Il ne suffit que d'une seconde, d'une erreur de jugement, pour qu'une vie soit brisée. Je voyais ces hommes, avec leur femme, leurs enfants… Ce n'était pas écrit dans leur front qu'ils étaient des criminels. J'ose croire qu'on ne naît pas comme ça, avec des prédispositions génétiques au crime, même si certaines études cherchent à en identifier le gène. Sans vouloir être fleur bleue, je me dis qu'il y avait probablement de l'amour dans leur entourage. Ils avaient une famille. Dans bien des cas, j'ai tendance à croire que la société a choisi de punir ceux et celles qu'elle n'a pas réussi à protéger. Mais bon, dans le lot de prisonniers, je suppose que les affreux et méchants sont plus nombreux. Sinon, comme disait je ne sais plus quel philosophe : « On a inventé les asiles pour faire croire aux gens à l'extérieur qu'ils ne sont pas fous. » Il me semble que l'injustice coure les rues de nos villes et se prélasse dans des tours de bureaux où hommes d'affaires, fonctionnaires, politiciens et autres cols blancs mentent, volent et s'en tirent toujours.

Dans le stationnement de la prison, j'ai téléphoné au sergent Rémi Fortin, responsable de l'enquête sur mon « kidnapping. »

Nous avons convenu d'un rendez-vous lundi matin. Je ne savais pas comment j'allais arriver à le convaincre de l'innocence de Fernand Levasseur. À tout le moins, j'espérais que mon témoignage contribuerait à alléger sa peine.

Je suis retourné chez moi avec l'intention de manger un morceau et de me reposer un peu avant ma rencontre avec le sergent. Ces derniers jours avaient été éprouvants. J'avais roulé à l'adrénaline et là, je manquais de carburant.

Arrivé à la maison, j'ai vu une grande enveloppe brune qui dépassait de ma boîte aux lettres. Étrangement, il n'y avait que mon nom inscrit dessus ; pas de timbre ni adresse de l'expéditeur. Curieux, je l'ai ouverte aussitôt.

Ce fut comme si je recevais un coup de poing au cœur.

Sur une feuille blanche, une photo était reproduite à l'aide d'une imprimante bon marché. Les couleurs étaient délavées et la photo, pas très nette. Toutefois, impossible de me tromper. Il s'agissait de ma fille Charlotte. Elle avait les mêmes vêtements que lorsqu'elle était disparue. Je m'en souviens comme si c'était hier. Un jean bleu et un t-shirt noir des Rolling Stones. Un cadeau que je lui avais offert. Elle aimait la plantureuse paire de lèvres rouges de cette bouche qui tirait la langue. Ses longs cheveux bruns étaient attachés, comme elle avait l'habitude de les porter. Seulement, elle paraissait plus vieille sur la photo. Faut dire que celui ou celle qui avait pris le cliché n'avait de toute évidence pas de talent pour ajuster l'objectif. La photo était un peu floue et Charlotte était trop éloignée, comme si le sujet avait plutôt été le gros arbre à l'avant-plan.

Après les faux courriels, une photo… Pourtant, Roger était mort et Fernand, en prison. Je ne comprenais pas.

Je me suis assis dans les marches de l'escalier. J'ai jeté un coup d'œil aux alentours. Qui était venu déposer cette enveloppe dans ma boîte aux lettres ? Était-il là, quelque part, caché, à guetter ma réaction ? Et pourquoi aujourd'hui ?

Quelqu'un jouait avec ma tête.
J'ai regardé derrière la feuille.

L'origine du mal
28 juillet
10 h
2437, rue Bennet

Lundi 26 juillet

Hier, après la découverte de la photo, j'étais aux aguets en entrant chez moi. Sur la pointe des pieds, j'ai fait le tour des pièces de mon appartement, craignant que quelqu'un ne s'y soit introduit et qu'il s'y trouve encore. Personne. Et pas de traces d'effraction. Tout était comme je l'avais laissé.

Dans la cuisine, je me suis ouvert une bière. Rapidement suivie d'une autre. J'avais besoin de me calmer. La sonnerie de mon téléphone m'a fait sursauter. C'était Marcel. Je lui ai raconté ce qui venait de se produire et je lui ai résumé ma rencontre avec Fernand.

— C'est peut-être lui ou Roger Leduc qui t'a envoyé cette photo.

— Me semble qu'il m'en aurait parlé.

— Si c'est Leduc, Levasseur n'était probablement pas au courant de tous ses faits et gestes.

— Mais, de toute façon, ça peut pas être eux, l'enveloppe portait pas de timbre ! Quelqu'un est forcément venu la déposer dans ma boîte aux lettres.

— Mouais...

Trop énervé, j'avais omis de lui mentionner ce détail.

— Et l'adresse... Je comprends pas. J'ai peur, Marcel.

— D'où je suis, je peux pas t'aider. Et crois-moi que ça me fend le cœur.

— J'ai rendez-vous en fin d'après-midi avec un enquêteur au sujet de mon enlèvement.

— Ouais… Je pense que t'as pas le choix de lui en parler.

— Je le pense aussi.

— Mais peu importe ce qu'il te dit ou te promet, sois prudent, Jean.

— Je passerai vous voir.

C'était quand même bizarre cette relation que j'avais avec Marcel. Nous étions devenus proches en peu de temps. Un peu comme des compagnons d'armes que la guerre réunit. Il était un peu le père que je n'avais pas eu. Le mien travaillait tout le temps. Et même quand il était à la maison, il ne me parlait pas. Il fixait la télé. Il s'endormait devant, assis dans « son » fauteuil. Et comme notre poste était dans la cuisine, son sommeil prenait toute la place. Il ne fallait pas le déranger. Quand j'avais envie de passer un moment avec mon père, je regardais la télé en sa compagnie. Parfois, il lâchait un commentaire sur le film ou l'émission en cours, mais rarement.

Un jour, il m'a dit une chose dont je me souviendrai toujours. Ma mère et lui étaient venus assister à ma première pièce de théâtre. Après, dans les loges, voyant que j'étais entouré de plusieurs personnes, timides, ils n'étaient pas restés. J'ai pensé qu'ils n'avaient probablement pas apprécié le spectacle. Mes parents n'étaient pas des gens cultivés. Ils ne sortaient jamais en ville, ne lisaient pas non plus et n'écoutaient pas de musique. Quelque temps après la représentation de ma pièce, alors que je me trouvais chez mes parents, mon père avait eu cette phrase, tandis que nous regardions la télé : « Ta pièce, là… C'est toi qui as écrit tout ça ? » Ce n'était pas une question ni même un doute. J'ai hoché la tête. C'était sa façon de me féliciter. Et il n'a plus jamais abordé le sujet de mon écriture, sinon pour s'informer si je gagnais bien ma vie. Je suppose que c'était sa manière de s'inquiéter pour moi. Maintenant, quand je lis ses cahiers, je découvre un autre homme derrière le silence des mots.

La prochaine fois que Roger va venir me visiter, à l'hôpital, je vais lui demander de conserver mes cahiers chez lui. Je sais que j'en ai plus pour longtemps. Je veux pas que mon fils lise ça. Surtout pas ceux qui concernent l'enquête sur la disparition de Charlotte. Je veux pas qu'il découvre que je lui ai menti et je veux encore moins qu'il se rende compte de mon échec. Des fois, j'ai l'impression que c'est ça qui m'a tué, plus que le travail ou la cigarette. Ça peut pas être une coïncidence de faire des crises cardiaques et d'attraper le cancer pas longtemps après que ma petite-fille a disparu. Maudite vie. Tu passes ton temps à courir après, et un jour, tu te retournes pour la voir te foncer dessus comme un train. C'est ça la grande lumière que tout le monde dit voir avant de mourir : la lumière du train que tu as raté.

Avant mon rendez-vous avec le sergent Rémi Fortin, je suis allé faire un tour à l'adresse inscrite au dos de la photo. Le 2437 n'existait pas. Plutôt, n'existait plus. Le bâtiment qui s'y trouvait avait été démoli. Je suis tout de même descendu de ma voiture pour vérifier. Derrière des panneaux de bois sur lesquels étaient collées de nombreuses affiches annonçant des spectacles et des expositions, on apercevait des débris : des briques, des poutres, etc. Qu'est-ce que ça voulait dire ? Si le message visait à me faire comprendre que tout est détruit, c'était réussi. Déconcerté, je suis remonté dans mon auto.

Le sergent Rémi Fortin est venu me chercher dans la salle d'attente. La trentaine, grand, bien bâti, cheveux bruns très courts, il portait une chemise blanche dont il avait roulé les manches sur ses avant-bras, laissant voir un tatouage du genre tribal sur l'un d'eux. Il m'a conduit à son bureau, situé dans une aire ouverte au milieu de plusieurs autres. L'atmosphère n'était pas tellement propice aux confidences. Des téléphones sonnaient, des gens allaient et venaient, d'autres parlaient fort.

— C'est toujours comme ça ? lui demandai-je en m'asseyant.

— Quoi ?

— Le bruit, l'agitation.

— On s'habitue.

Le sergent a ouvert un épais dossier sur son bureau.

— Vous allez bien, monsieur Royer?

— Oui, oui.

— J'ai ici le rapport de l'hôpital, dit-il en sortant une feuille. Vous n'avez pas encore consulté un psy?

Je ne m'attendais pas à ce genre de question.

— Euh, non.

— Vous n'aimez pas les psys?

— J'ai juste pas eu le temps.

— Ce serait important.

Je n'aimais pas tellement la tournure que prenait notre entretien.

— On est ici pour parler de ma santé mentale ou de mon enlèvement?

— C'est comme vous voulez. Moi, je dis ça pour vous.

Rémi Fortin m'avait l'air du genre à s'entraîner, à prendre soin de lui, à bien manger et toutes ces conneries narcissiques à la mode. Plus préoccupé à dégager une image de bien-être qu'à aller réellement au fond des choses. Mais bon, peut-être que je me trompais. J'étais un peu sur les dents.

— Qu'est-ce que vous voulez savoir?

— Dans le dossier, il est écrit qu'on n'a pas procédé à un interrogatoire en tant que tel. Normal, vu le choc. Il est écrit aussi que vous connaissiez vos ravisseurs, c'est bien ça?

— Oui, c'étaient les employés de l'agence de mon père.

— Une agence de détectives, c'est ça?

— Oui.

Je sentais que ça allait être long...

— Bon, écoutez, Roger Leduc voulait avoir l'agence de mon père. Il me l'a dit. C'est pour ça qu'il m'a assommé. Il exigeait que je signe des papiers comme quoi je lui donnais l'agence.

— À lui et à Fernand Levasseur, souligna le sergent en lisant les notes devant lui.

— Non, pas à Fernand.

— Pourtant, le contrat que nous avons retrouvé sur les lieux stipule que l'agence allait revenir à Roger Leduc et Fernand Levasseur, à parts égales.

J'étais perplexe. Fernand Levasseur m'aurait-il menti ?

— Vous le saviez pas ?

— C'est pas ce que j'avais compris, avouai-je.

— Étiez-vous prêt à signer ?

— J'avais pas tellement le choix...

— Vous pensez que c'est Roger Leduc qui avait orchestré tout ça ?

— C'est l'impression que j'ai eue.

— Qu'est-ce que vous entendez par là ?

— Je connaissais ces deux gars-là. Roger Leduc est un type froid, calculateur, tandis que Fernand Levasseur... Disons qu'il porte bien son nom. C'est le valet de Roger.

— Vous le décririez comme une sorte d'exécutant et non un complice ?

— Tout ce que je peux vous dire, c'est que j'ai été assommé. Je sais pas par lequel des deux. Je me suis réveillé attaché à une chaise devant Roger Leduc qui pointait un revolver sur moi. C'est lui qui menait la discussion. Fernand Levasseur y était aussi, mais il se tenait en retrait. En fait, non, ça me revient... Quand j'ai ouvert les yeux, c'est Fernand Levasseur qui était là en premier. Il m'a enlevé la cagoule. Oui, c'est ça. Et il a dit que c'était l'idée de son collègue. Ensuite, Roger Leduc est arrivé.

— Vous êtes certain ?

— Oui.

— Fernand Levasseur ne vous a pas mentionné autre chose ?

— Non, pas à mon souvenir.

— Il se peut que votre mémoire vous fasse défaut, avec le coup que vous avez reçu.

— Si je me rappelle autre chose, je vous téléphonerai.

— Bien.
— Vous avez parlé à Fernand Levasseur ?
— Évidemment.
— Et sa version à lui ?
— Vous comprendrez que je peux pas vous révéler le contenu de son interrogatoire.
— C'est pourtant moi, la victime. Il me semble que j'aurais le droit de savoir.
— Vous l'apprendrez au procès.
— Quand ?
— Oh... Difficile de mettre une date là-dessus.
— Je suis censé vivre avec ces doutes et me la fermer ?
— Monsieur Royer... Roger Leduc s'est suicidé et Fernand Levasseur est en prison en attente de son jugement. Qu'est-ce que vous voulez de plus ?
— J'ai mes réserves sur le fonctionnement de la justice...
— Vous parlez de la disparition de votre fille ?
— Entre autres...
— Il s'agit d'un autre dossier.
— Avec vous, tout est un autre dossier.
— Monsieur Royer...
— Vous êtes là, à faire le paon, en croyant avoir accompli votre devoir, en me sauvant de la mort, alors que c'est mon ami Marcel Deschamps qui a averti la police !
— C'est vrai.
— C'est grâce à lui qu'on a pu remonter à Roger et Fernand ! C'est lui qui a découvert que les courriels de ma fille provenaient d'eux.
— On apprécie toujours la collaboration des citoyens.
— Qu'est-ce qu'ils fabriquaient, pendant ce temps-là, les policiers à qui j'ai remis les renseignements à ce sujet, hein ? Vous n'avez aucun mérite assis derrière votre petit bureau de fonctionnaire de la justice.

— Ce sera tout, monsieur Royer ?
— Va chier, pauvre con.
Je me suis levé d'un bond et je suis parti.
Je sais, j'ai un problème avec l'autorité.
Dans ma colère, j'ai complètement oublié de parler au sergent de la photo de ma fille.

Mardi 27 juillet

Hier, alors que je revenais chez moi et que j'étais en train de garer ma voiture, j'ai entendu un cri.

Juste un mot.

« Papa ! »

Quand on est père, tous les cris de « papa » se ressemblent. Qu'on soit au parc ou à l'épicerie, on pense que c'est notre enfant qui nous appelle. Je me suis retourné et, de l'autre côté de la rue, une petite fille appelait sa maman. C'est tout.

Des souvenirs de Charlotte surgirent. Je la revoyais toute petite, à un spectacle à l'école. Elle me faisait, pas très discrètement, des signes sur la scène. À son cours de gymnastique, sur la poutre, elle attendait toujours que je lui envoie la main avant de commencer son programme. Ses hurlements de joie quand elle avait terminé deuxième au saut en longueur aux Jeux de Montréal. Les poèmes qu'elle écrivait. Les chansons qu'elle chantait à tue-tête. J'aurais eu besoin d'essuie-glaces pour mes yeux.

J'ai enfoui mon visage entre mes paumes pendant un moment. J'étais épuisé.

Et si Charlotte était vivante ? Cette photo…

Je suis sorti de la voiture. Je me suis assis dans les marches de l'escalier. Je me suis allumé une cigarette. Je regardais les nuages blancs défiler lentement dans le ciel bleu. J'essayais d'ajuster ma respiration à leur rythme.

Impossible.

Mon corps m'envoyait des signes de détresse. Mes poumons étaient figés. Mon cœur se débattait. Ma poitrine était oppressée.

J'ai écrasé ma cigarette du bout de ma semelle. J'étais à la fois dévasté et plein de fureur. Quelqu'un avait kidnappé ma fille il y a six ans et se promenait en liberté aujourd'hui. Tout et rien me la rappelaient constamment. Je n'en pouvais plus. Mon esprit ne cessait d'être assailli par divers scénarios violents. En même temps, j'avais envie de disparaître, de fuir, loin, là où les cauchemars n'existent pas. Seulement, ce goût de vengeance dans la bouche ne disparaissait pas. Et ne disparaîtrait probablement jamais.

Je suis retourné au volant de ma voiture et j'ai roulé en direction du club vidéo, avenue du Mont-Royal. Je n'ai pas pris le temps de me choisir une place de stationnement. J'ai arrêté mon auto devant les portes de la succursale, sur le trottoir. En sortant, j'ai ignoré les regards furieux des passants et les bruits de klaxons. Je me suis aussitôt dirigé vers le magasin et suis entré.

— Le André qui travaille ici, il est là, aujourd'hui ?

— Non…, bredouilla la jeune fille derrière le comptoir.

— Vous avez son adresse ?

— Euh…

— Qu'est-ce qui se passe ? tonna le gérant en arrivant au pas de course.

Du moins, je supposai qu'il l'était. Il paraissait plus vieux, avec son crâne dégarni et ses lunettes rondes.

— Je veux voir le André qui travaille ici.

— C'est vous qui êtes stationné sur le trottoir ?

— Je veux juste voir André et tout va bien aller.

— Mia, appelle le 9-1-1, ordonna le gérant à son employée.

— C'est pas compliqué, pourtant.

— Monsieur, sortez d'ici.

D'autres employés s'étaient maintenant attroupés autour de nous.

— O.K., juste une question… Vous avez son adresse ?

— Pourquoi vous avez besoin de savoir ça ? me demanda un jeune homme avec un piercing dans une narine.

— Parce que j'ai de bonnes raisons de penser qu'il a kidnappé ma fille.

— Kidnappé ! s'exclamèrent plusieurs employés en chœur.

— Qu'est-ce que je dis au 9-1-1 ? demanda Mia derrière le comptoir.

— Dis-leur d'attendre une minute, lui indiqua le gérant.

— Vous me croyez ?

— J'ai pas dit ça.

— Vous dites quoi, d'abord ? m'impatientai-je.

— Le 9-1-1 veut pas garder la ligne, informa Mia.

— Allez déplacer votre auto, monsieur, lança le jeune homme au piercing. Je vais y aller avec vous.

Je sentais qu'il désirait me parler… J'ai décidé de le suivre à l'extérieur, laissant les autres un peu stupéfaits.

— Tu connais André ? lui demandai-je une fois dehors.

— Un peu… C'est vrai qu'il est bizarre, des fois.

— Bizarre comment ?

— Ben… Rien d'extraordinaire, je suppose. Juste *weird*, t'sais. Il tripe sur les films d'horreur, le genre *gore*. Mais sinon, y a l'air ben *straight*. Un peu renfermé. Pas méchant, même serviable avec les clients. Mais je sais pas… Tendu. Ouais, c'est ça. Tendu. L'impression que ce gars-là garde tout en dedans. Comme si y jouait au gentil. En tout cas, moi, il me met mal à l'aise.

— Tu crois qu'il pourrait faire du mal à quelqu'un ?

— C'est dur à dire, t'sais, je le connais pas ben ben. Mais bon, ça me surprendrait pas. Il s'est fait mettre dehors de son université, il paraît, qu'une des filles m'a dit.

— Il étudiait en quoi ?

— En art, je pense.

— Et pourquoi il a été expulsé ?

— Ah, ça… Y a ben des rumeurs.

— Du genre ?

— Y était ben actif durant la grève étudiante. Il donnait des câlins aux carrés verts, mais juste en anglais. T'sais quand je dis *weird*.

— Il s'est quand même pas fait foutre à la porte juste pour ça ?

— Des chicanes avec ses profs, il paraît. Je sais pas si c'est vrai, t'sais. Supposément que son projet de maîtrise, c'était de kidnapper des enfants, de les mettre dans des sacs de jute et de les accrocher au plafond pour jouer à la piñata.

— Quoi ?

— Paraît qu'il voulait démontrer comment les enfants innocents allaient vieillir pour devenir les adultes amorphes de demain.

— Ç'a aucun sens !

— C'est pour ça que je dis que c'est des rumeurs, t'sais. Mais quand vous avez parlé de kidnapping, ben… J'ai préféré vous le dire.

À ce moment, le gérant ouvrit la porte du club vidéo.

— Vous la déplacez ou pas votre auto ?

— Oui, oui, désolé…

— Simon, qu'est-ce que tu fais ? lança-t-il à son employé.

— J'ai le droit de prendre une pause.

Le gérant nous regarda tous les deux tour à tour, cherchant quoi dire.

— O.K. Cinq minutes.

Puis, il referma la porte.

— Votre gérant, il est au courant des « rumeurs » ?

— Personne en parle et tout le monde en parle. De toute façon, André a démissionné y a quelques jours.

Je songeai à la visite que je lui avais rendue, il y a quelques jours, justement...

— Tu as son adresse ?

— Je vais voir ce que je peux faire. Laissez-moi votre numéro.

— Merci.

Dans la soirée, j'ai reçu un coup de fil de Simon, l'employé du club vidéo. Il m'a refilé les coordonnées d'André. Je savourai l'ironie en apprenant son nom de famille : Vadeboncœur. Il a ajouté : « Soyez prudent... »

Dans l'intervalle, j'avais eu le temps de me calmer et de réfléchir un peu. Toutefois, je n'arrivais pas à me décider. Est-ce que je donnais ces informations à la police ou je me chargeais moi-même de l'« enquête » ? Cependant, la question qui me tourmentait le plus était : s'agissait-il vraiment de Charlotte sur la photo ?

Plus j'y pensais, plus je me disais que ça n'avait pas de sens. Je voulais croire que ma fille était encore en vie. Durant toutes ces années, j'avais essayé de faire mon deuil, sans vraiment y parvenir. Combien de fois j'avais espéré un coup de téléphone, un courriel... Sinon qu'on retrouve son corps. Et aujourd'hui, il faudrait que je me fasse à l'idée que ma fille avait été, pendant tout ce temps, le jouet d'un sadique ? Non, ça ne se pouvait pas. Je refusais d'imaginer une telle possibilité.

Je fixais la photo qui avait été déposée dans ma boîte aux lettres. Même floue et prise de loin, elle lui ressemblait. Cependant, le même t-shirt des Rolling Stones, six ans plus tard... Je ne pouvais m'empêcher d'y voir une mise en scène.

Quoi qu'il en soit, je devais en avoir leur cœur net. Je décidai d'agir sur deux fronts : j'allais téléphoner à la police et me rendre chez André. Mais avant, j'ai appelé Marcel et je lui ai demandé de faire jouer ses contacts pour en apprendre plus sur mon suspect. Je ne l'ai pas mis au courant de mes intentions. Je sais ce qu'il m'aurait dit.

Mercredi 28 juillet

Hier soir, j'ai laissé un message aux enquêteurs chargés du dossier de la disparition de ma fille. Je les ai avisés que quelqu'un avait déposé dans ma boîte aux lettres une photo de Charlotte avec une invitation derrière. Je leur ai donné les coordonnées d'André, en insistant sur le fait que j'avais de bonnes raisons de penser qu'il était impliqué dans tout ça.

J'aurais pu attendre qu'ils me rappellent, mais le mal ne travaille pas de neuf à cinq, lui… Je n'avais pas encore eu de nouvelle de Marcel non plus. S'il y avait un mince espoir que Charlotte soit en vie, je devais agir vite.

André Vadeboncœur habitait dans un immeuble à logements, dans le quartier Rosemont. Une tour d'une dizaine d'étages près d'une voie ferrée. Dans la vitrine du hall, un panneau défraîchi indiquait: « Appartements à louer: 1 1/2, 2 1/2 ». Un vieil homme était assis sur la deuxième des trois marches menant à la porte d'entrée. Il buvait une cannette de bière enveloppée dans un sac de papier. Un paysage bucolique.

— Vous auriez pas une cigarette?

Je tâtai mes poches pour me rendre compte que j'avais laissé mon paquet dans l'auto.

— Ah, c'est pas grave. Un gars s'essaye.

— Connaissez-vous un André Vadeboncœur ?

— Je devrais ?

— Habitez-vous ici ?

— Ici, là-bas... Là-bas aussi, lança-t-il en gesticulant. L'univers m'appartient ! C'est juste que j'ai pas de papiers pour le prouver, ajouta-t-il en riant.

— Bonne soirée...

Une fois dans le hall, je constatai que la porte intérieure était verrouillée. Je n'avais pas songé à cette éventualité. Je ne pouvais quand même pas sonner pour annoncer mon arrivée. J'entendis alors frapper dans la fenêtre derrière moi. Le vieil homme me faisait signe de le rejoindre.

— Ça me revient, dit-il.

— Quoi donc ?

— Vadeboncœur. André. Y me donne des cigarettes, des fois.

— Et ?

— Ben c'est ça. Tu voulais savoir si y restait dans le bloc.

— Je sais qu'il habite ici.

— Pourquoi tu me le demandes, d'abord ?

— C'est que... J'étais pas certain.

— C'est pas net, ton affaire... Lui non plus, si tu veux mon avis.

— Comment ça ?

— T'sais, moi, je refuse pas ça, un cadeau. Ça se fait pas, que je me dis. Mais des fois, j'ai peur que ses cigarettes soient empoisonnées. Je les fume pareil, t'sais, c'est plus fort que moi. Mourir de ça ou bedon d'autre chose...

— L'avez-vous déjà vu avec une fille ?

— Une fille ? Attends un peu... Une fille... Ça se peut.

Je lui tendis alors une photo de Charlotte. Il la regarda un moment.

— Beau brin de fille.

— L'avez-vous déjà vue avec André ?

— Travailles-tu pour la police, coudonc ?

— C'est ma fille.

Il se mit à rire.

— Qu'est-ce qu'il y a de drôle ? lui demandai-je, un peu déconcerté.

— C'est juste que moi, ma fille, elle veut plus me parler depuis des années. On rigole comme on peut...

— L'avez-vous déjà vue, oui ou non ?

— Je sais pas. Ça se peut.

— C'est de l'argent que vous voulez ?

— Comme je te dis, je refuse jamais un cadeau.

Je sortis un billet de cinq dollars.

— Je commence à me souvenir...

Je lui donnai un autre billet de cinq dollars.

— Oui, je me rappelle, là. Je l'ai vu partir avec une fille après-midi. Ça y ressemblait, en tout cas.

— Est-ce qu'elle avait un t-shirt noir avec une grosse bouche rouge dessus ?

— Je pourrais pas dire. Je pense qu'il y avait du rouge. Ouais, je pense ben.

— Croyez-vous qu'il est chez lui, André ?

— Je sais pas. Je l'ai pas vu revenir, en tout cas. Mais, t'sais, je suis pas tout le temps assis dehors. Des fois, je vas au dépanneur. Des fois, je vas manger. Pis quand c'est l'hiver, ben t'sais.

— O.K. Merci.

Il fallait que je trouve un moyen d'entrer dans cet immeuble sans me faire remarquer.

— Veux-tu qu'on aille voir si y est là, ton André ?

— Vous habitez ici ?

— Des fois... Viens.

Je le suivis et il m'entraîna derrière le bâtiment. Il n'y avait pas d'éclairage. Je me suis mis à craindre qu'il ne veuille me détrousser.

— Aie pas peur, je suis habitué, dit-il en parlant de la noirceur.

Il me conduisit près d'une grille de chaleur qui émergeait à moins d'un mètre du sol.

— Attends-moi une seconde.

Il fit quelques pas en direction d'un bosquet et il revint avec une corde. Au bout de celle-ci, il y avait une croix en bois. Il ouvrit la grille à plat et plaça la croix dessus, laissant la corde se dérouler jusqu'en bas. Ce n'était pas très profond, deux ou trois mètres.

— Ça, c'est mon chalet, me lança-t-il en souriant.

Il s'assit sur le bord de la grille, agrippa la corde et descendit. Pendant un moment, je me demandai dans quoi je m'embarquais. Je le rejoignis néanmoins. En bas, il me montra une autre grille, qu'il retira.

— On peut entrer par ici. Ça donne sur le sous-sol. Y a jamais personne qui va là. C'est la chaufferie.

À genoux, chacun son tour, nous franchîmes la grille d'aération pour nous retrouver effectivement dans une salle abritant de gros appareils de chauffage. J'aperçus un vieux matelas dans un coin et une petite pile de vêtements.

— Mon royaume.

— On vous laisse dormir ici ? m'étonnai-je.

— Bah… Tout ce qu'on sait pas, ça fait pas mal, hein. Avant, j'étais concierge. Ils me doivent ben ça.

Je n'ai pas posé plus de questions. J'imaginai une vie de misère, sauvée par la débrouillardise.

— Mais ça, comme je te dis, c'est juste mon chalet. Je reste des fois dans un des appartements vides.

— Personne vous entend ?

— Bof. Y a tellement de monde. La meilleure façon de se cacher, c'est au milieu d'une foule. Le propriétaire vient jamais voir. Y doit avoir une vingtaine de blocs dans la ville. Y s'en fout. Pis j'ai gardé les clés…, fait que.

— Et le nouveau concierge, lui ?

— Pourvu qu'y puisse fumer son pot, y a rien qui le dérange.

Je renonçai à comprendre la vie et les mœurs de cet immeuble. De toute façon, je n'étais pas là pour enquêter là-dessus, mais pour retrouver André Vadeboncœur (et peut-être ma fille.)

— Pour aller aux étages, passe la porte au fond, là-bas. L'ascenseur est là. Tiens, prends mon passe-partout.

— Pourquoi on n'est pas entrés par la porte d'en avant?

— La serrure de celle-là a été changée.

— Vous venez avec moi?

— C'est pas que je t'aime pas, mais quelque chose me dit que je suis mieux pas.

— Bon. O.K.

— Bonne chance, pour ta fille.

Je le remerciai et lui serrai la main.

Je regardais les chiffres des étages s'allumer et s'éteindre tandis que l'ascenseur montait. Qu'est-ce que j'allais faire une fois que je serais devant André Vadeboncœur? J'aurais dû me munir d'une arme. Je regrettais de ne pas y avoir pensé. J'avais agi sur un coup de tête, sans véritable plan autre que de foncer dans la tanière de la bête.

La porte de l'ascenseur s'ouvrit au cinquième étage. Personne. Je jetai un œil dans le corridor mal éclairé. Rien. La porte se referma. Bizarre. Deux étages plus haut, j'étais arrivé à destination. L'appartement 706 se trouvait au fond du couloir. Je marchai sur la pointe des pieds, espérant ne pas être suivi du regard quand je passais devant chacun des judas optiques. On aurait dit une allée de cyclopes montant la garde.

Mon cœur ne fit qu'un tour lorsque mon téléphone cellulaire sonna. L'appel venait de Marcel Deschamps. Je mis l'appareil sur vibration. Je communiquerais avec lui plus tard.

Devant le 706, je collai mon oreille contre la porte. Je ne perçus aucun bruit. J'avais le choix entre frapper et annoncer ma présence ou me servir du passe-partout et surprendre André Vadeboncœur. J'avais les mains moites. Je pris une grande respiration. Surtout ne pas paniquer. Mais ça ne fonctionnait pas. J'avais des bouffées de chaleur. Ma vue devenait trouble.

Il fallait que je me calme.

J'ai fermé les yeux. J'ai écouté les rugissements de mon corps. Je me voyais debout sur un rocher devant l'océan. Une tempête faisait rage. De fortes vagues fouettaient la pierre sur laquelle je me trouvais, pieds nus. Au loin, un phare résistait aux assauts de la mer et sa lumière perçait les nuages noirs. Fixer un point. Ne penser qu'à une chose. Respirer.

J'ai ouvert les yeux. L'orage était passé.

Tout compte fait, je préférais frapper à la porte. J'ai attendu qu'on vienne ouvrir, les poings serrés. J'ai frappé de nouveau. Pas de réponse. J'étais soulagé. Je n'aurais pas à affronter André Vadeboncœur.

J'ai déverrouillé la porte.

Il était là !

André Vadeboncœur était assis dans un fauteuil, un casque d'écoute sur les oreilles. La télé était allumée. Il jouait à un jeu vidéo. Sur un grand écran, des hordes de zombies se faisaient éclater la tête un à un. Du sang giclait partout en haute définition.

Je me suis approché par-derrière et j'ai passé mon avant-bras droit sous son menton en même temps que je lui enlevais ses écouteurs. Il a commencé à se débattre. De la main gauche, j'ai entouré mon poignet droit. Sa gorge était prise dans mon étau. Ses deux mains se sont agrippées à mon avant-bras droit et tiraient dessus, mais je tenais bon en appliquant encore plus de pression. Et je me suis mis à serrer son cou.

Je n'avais qu'une envie…

Je voyais se gonfler les veines de son cou et ses oreilles devenir rouges. Il gigotait dans son fauteuil. Il essayait de se lever. Je l'ai ramené aussitôt dans sa position. Puis, il a tenté de me donner des coups de poing. Je les voyais venir et je les esquivais.

— Si tu te calmes pas, je t'étrangle !

— VA CHIER !

J'ai serré encore un peu.

— Je t'avertis…

— Hostie de malade !

J'ai presque eu envie de rire.

— Moi, un malade ? Sacrament…

Et j'ai serré de nouveau, plus fort.

— ARRÊTE !

— Tu vas te calmer ?

— OK, OK…

J'ai desserré un peu, mais je maintenais ma prise.

— Qu'est-ce que tu veux ? m'a-t-il demandé.

— Jean Royer, ça te dit quelque chose ?

Il n'a pas répondu.

— Je vais considérer ça comme un oui, ai-je soufflé en l'étranglant un peu.

— ARRÊTE, HOSTIE !

— C'est toi qui as kidnappé ma fille ?

— Ta fille ?

— Niaise-moi pas…

J'avoue que je prenais plaisir à jouer avec sa vie chaque fois que je l'étouffais un peu plus.

— Elle est pas ici, en tout cas, a-t-il réussi à articuler dans un râle.

— Elle est où ?

— Je vais te le dire si tu me lâches.

J'ai été surpris par sa réplique, même si, au fond de moi, je m'y attendais.

— Qu'est-ce que tu veux insinuer ?

— Si tu m'étrangles à mort, tu le sauras jamais.

— Je saurai jamais quoi ?

— …

L'enfant de chienne.

— Je te tuerai pas, mais je peux te maganer en sacrament si tu parles pas.

À ce moment, j'ignore ce qui m'a pris. Ou plutôt, je le sais trop bien. La douleur qui me rongeait depuis toutes ces années… Elle réclamait vengeance.

J'ai tiré Vadeboncœur par le cou pour l'éjecter de son fauteuil. Il a basculé sur le dos et s'est retrouvé à mes pieds. Je n'ai pas compté le nombre de coups que je lui ai donnés. Avec les talons et le bout de mes chaussures, j'ai frappé son ventre, ses côtes, ses jambes… Quand je me suis « réveillé » de ma furie, j'étais assis sur son thorax en train de lui asséner un dernier coup de poing au visage.

J'avais mal à la main. Ce n'était sans doute rien à côté de ce que devait ressentir Vadeboncœur.

J'ai remarqué qu'il ne bougeait plus.

L'avais-je tué ?

Non, je sentais sa poitrine se soulever faiblement. Je me suis relevé et j'ai attendu un moment. Quand j'ai constaté qu'il ne remuait toujours pas, j'ai cherché du regard quelque chose pour l'attacher et j'ai aperçu la rallonge de son casque d'écoute. Elle devait faire au moins trois mètres. Ça suffisait pour lui ligoter les mains aux chevilles.

J'ai ensuite fouillé son appartement à la recherche d'indices. Je pensais à mon vieux portable, celui que j'avais prêté à ma fille le jour de sa disparition. Dans le salon, il n'y avait pas vraiment de cachettes. Une petite table de travail sur laquelle étaient posés un téléphone, un bloc-notes et un stylo. J'ai regardé sous le divan-lit et dans le placard. Sous la télé, j'ai découvert des boîtiers de films et de jeux. J'ai vérifié chacun d'eux ainsi que chacun des livres dans l'unique bibliothèque. L'endroit ne comptait qu'une cuisine comme autre pièce. J'ai ouvert toutes les armoires, que de la vaisselle et de la nourriture.

Rien.

Je commençais à me demander si je n'avais pas commis une erreur…

André Vadeboncœur est revenu à lui.

— Crisse…, a-t-il murmuré.

Je me suis mis à genoux.

— As-tu envie de parler, maintenant ?

— *Man*… Je te jure que je sais pas qui t'es. Mais si tu cherches ta fille, tu vois ben qu'elle est pas ici.

— Tu connais pas ma fille, Charlotte ?

— Non, je connais pas de Charlotte.

— Et moi non plus ?

— Ta face me dit quelque chose… Mais non.

— Je suis allé te voir au club vidéo.

— Ça se peut. Ça doit être ça.

— Pourquoi t'as lâché ta job ?

— Parce que j'ai reçu une bourse.

— Une bourse pour quoi ?

— Je suis artiste en arts visuels.

— Et c'est quoi, ton truc ?

— Je vas-tu passer la soirée attaché à répondre à tes questions ?

— As-tu un atelier ? ai-je poursuivi en ignorant sa supplique.

— AU SECOURS ! AU SECOURS ! AU SECOURS !

Il ne cessait de crier. J'ai essayé de le faire taire en posant mes mains sur sa bouche, mais sans succès. Il continuait à s'époumoner. Soudain, j'ai entendu frapper trois coups dans le mur. On peut toujours compter sur ses voisins. Si André Vadeboncœur n'arrêtait pas de hurler, son voisin allait appeler la police pour se plaindre du bruit. Il était trop tard pour l'assommer.

Je suis parti en le laissant beugler.

J'ai couru vers l'escalier avant qu'un voisin n'ouvre sa porte.

Jeudi 29 juillet

C'est en montant dans ma voiture, mardi soir, que j'ai réalisé que j'avais commis plus d'une gaffe. Non seulement je venais d'agresser un innocent, mais je lui avais aussi donné mon nom, ainsi que celui de ma fille. En résumé, j'étais dans la grosse marde.

J'ai pensé attendre, caché dans mon auto, pour vérifier si des policiers allaient se présenter ou pas chez Vadeboncœur. Mais, d'un autre côté, si je voulais récupérer des affaires chez moi, le temps comptait. J'ai donc filé.

Je suis entré dans mon appartement et j'ai emporté quelques vêtements. Mon ordinateur était déjà dans le coffre. Je ne m'en séparais plus. Puis, je suis passé à un guichet automatique et j'ai retiré le maximum de liquide possible. À partir de maintenant, il fallait que je me transforme en homme invisible.

Je ne savais pas où aller. J'aurais pu appeler un ami (si j'en avais encore), mais je ne souhaitais impliquer personne dans mon histoire. Louer une chambre d'hôtel me paraissait une bonne option. Toutefois, je ne disposais pas de beaucoup d'argent et je craignais d'en manquer rapidement. J'envisageai de dormir dans ma voiture. Au moins pour ce soir.

Je roulais dans la nuit à la recherche d'un endroit isolé. Le stationnement d'un centre commercial ? Non, une voiture seule dans ce grand espace se ferait vite repérer. Un stationnement souterrain au centre-ville ? L'idée ne me plaisait pas trop. Je craignais les caméras de surveillance. Dans une petite rue tranquille ? Des résidents se poseraient des questions…

J'étais en train de devenir complètement paranoïaque. Chaque fois que je songeais à un lieu, tout de suite des possibilités de me faire prendre surgissaient.

J'ai décidé de téléphoner à Marcel. Quoi de mieux qu'un ancien policier pour conseiller un hors-la-loi en cavale. J'ai arrêté ma voiture devant une cabine téléphonique. Je ne voulais pas qu'on trace mon appel.

— Allô ?

— Marcel, c'est Jean.

— J'ai essayé de te joindre.

— Je sais. Je pouvais pas répondre.

— Qu'est-ce qui se passe ? T'as l'air paniqué…

Je lui racontai les derniers événements en détail.

— Tu regardes trop de films, Jean. Avant que les policiers traquent le GPS de quelqu'un ou qu'ils consultent des caméras de surveillance dans la ville, ça prend plus qu'un gars battu chez lui. Mais t'as bien fait de pas rester chez toi.

— Qu'est-ce que je vais faire ?

— Tu peux aller chez moi.

— Les policiers savent qu'on se connaît !

— Je te jure, Jean, ils feront pas le tour du monde pour te retrouver. Ils te mettront pas sur la liste des criminels les plus recherchés du pays. Tu pourrais prendre l'avion que personne t'en empêcherait.

— J'aime autant pas courir de risque.

— Tu fais comme tu veux… Au pire, si on t'attrape, tu vas payer une amende. Ça m'étonnerait que tu fasses de la prison pour coups et blessures. Même que si tu déclares que tu croyais que le gars avait enlevé ta fille, ça pourrait jouer en ta faveur. Ça paraît pas, mais les policiers ont un cœur, eux aussi.

— J'aurais plutôt pensé que ça aurait aggravé mon cas.
— Ça dépend sur qui tu tombes.
— Bref, je suis pas plus avancé…
— Je peux juste te conseiller, t'indiquer ce que je ferais à ta place. Après, c'est à toi les oreilles, comme on dit.
— Au fait, pourquoi vous m'avez appelé, plus tôt?
— Ah, c'est vrai. Ton gars, là, André Vadeboncœur, c'est pas un ange, hein. Même que je dirais que c'est un méchant fêlé. Tu savais qu'il avait un dossier?
— Non…
— Ça apparaît pas officiellement, parce que ça s'est produit quand il était mineur, mais Vadeboncœur est passé par le système juvénile. Et tu sais pourquoi?
— J'ai comme l'impression que vous allez me le dire…
— En plus de ses drôles d'idées sur l'art, à douze ans, il a kidnappé une de ses petites voisines et l'a séquestrée dans son sous-sol pendant deux jours.

Après cette révélation, je ne me sentais plus coupable du tout d'avoir «rudoyé» André Vadeboncœur. Ce n'était peut-être pas très noble ni moralement acceptable, mais mon penchant pour les justiciers et superhéros depuis l'enfance était satisfait. Maintenant que je savais ce dont il était capable, je m'en voulais de m'être laissé berner. Dans mon esprit, ça devenait clair. Quand je lui avais demandé s'il avait un atelier, il avait éludé la question. Mon intuition me disait que c'est de ce côté que je devais chercher.

Au mépris de mes craintes, je suis retourné chez André Vadeboncœur. J'ai stationné ma voiture non loin de chez lui, là où j'avais une bonne vue de l'entrée de son immeuble. Et j'ai attendu.

Vendredi 30 juillet

Mercredi matin, à 9 h 42 pile, André Vadeboncœur est sorti de son appartement. On voyait des bleus sur son visage. Il est parti à pied. Je l'ai laissé prendre un peu d'avance avant de descendre de ma voiture et de le suivre. Il ne fallait surtout pas qu'il me voie.

Il marchait sans se douter de rien. À un moment, il est entré dans un dépanneur et j'ai cru qu'il m'avait repéré. Plusieurs minutes se sont écoulées. Je me suis mis à penser qu'il avait peut-être fui par la porte de derrière, alors j'ai voulu aller dans la ruelle. Le commerce était situé sur le coin de la rue. Je devais passer devant pour atteindre la ruelle. Je l'ai aperçu au dernier moment. Quelques secondes de plus et nous nous serions trouvés nez à nez. Je me suis vite retourné et j'ai grimpé les trois marches conduisant au balcon du logement adjacent. Faisant dos à la rue, j'ai feint de chercher mes clés dans mes poches. Après un moment, j'ai jeté un œil. Je l'ai vu deux coins de rue plus loin, avec ce qui semblait être une cannette de boisson énergisante à la main.

Je lui ai emboîté le pas, en espérant que mon stratagème avait fonctionné. Après plusieurs minutes de marche, il a pris à droite et s'est dirigé vers la voie ferrée. Au bout se dressait un immeuble délabré dont la plupart des fenêtres étaient recouvertes de panneaux en bois. Il l'a contourné et je ne l'ai plus revu. J'ai supposé qu'il était entré par-derrière.

Je me suis approché du bâtiment en ruine. J'ai essayé de regarder à l'intérieur, mais toutes les issues du rez-de-chaussée étaient bloquées. Lentement, j'ai tourné la poignée de la porte. J'ai entendu un bruit de l'autre côté. La poignée m'est restée dans les mains ! L'autre partie avait dû tomber sur le plancher. J'ai eu peur. Je suis parti en courant vers le coin de la rue.

Je ne sais pas si André Vadeboncœur est allé vérifier la provenance du bruit. J'ai patienté un bon bout de temps, caché derrière une voiture stationnée. Je jetais régulièrement des regards en direction de l'immeuble à travers les vitres de l'auto. Je ne l'ai pas vu ressortir.

Puis, j'ai entendu des pas derrière moi. Une femme d'environ cinquante ans me dévisageait, l'air de se demander ce que je fabriquais là. Elle a poursuivi son chemin dans la rue de la maison abandonnée. Elle s'est arrêtée devant un moment. Puis, elle l'a, elle aussi, contournée.

Étrange.

Quelques instants plus tard, une voiture s'est engagée dans la rue et s'est garée face à l'immeuble. Trois personnes en sont sorties, deux hommes et une femme. Ç'a été le même manège qu'avec la femme plus tôt. Ils sont restés plantés devant quelques secondes, puis se sont dirigés vers l'arrière.

Mais qu'est-ce qui se passait là ?

Il n'y avait qu'une façon de le savoir.

Derrière la maison abandonnée, la porte était ouverte. Au-dessus, j'ai remarqué un écriteau.

L'ORIGINE DU MAL

Un frémissement a parcouru mon corps. Je me suis aussitôt souvenu de la photo de Charlotte et de l'invitation au dos.

Pourtant, ce n'était pas la bonne adresse. J'ai regardé ma montre : 10 h 17, et nous étions le 28 juillet. J'ai ramassé une tige de métal rouillé qui traînait par terre et je suis entré.

Il faisait sombre dans la cuisine. Rapidement, mes yeux se sont accommodés. Sur le comptoir, il y avait un chat mort, éventré. Du sang, à présent coagulé, avait coulé sur les portes des armoires dessous et sur le plancher. Au-dessus pendait un carton blanc. Dégoûté, je me suis quand même approché. Une série de photos y étaient collées. Sur l'une, on voyait une affiche de chat perdu avec une photo du minet. Une récompense était offerte. Une autre montrait une femme en train d'agrafer une affiche sur un poteau. Soudain, un flash m'a ébloui ! Puis, j'ai entendu le bruit caractéristique d'un appareil polaroïd. Il était posé sur la tablette d'une armoire dont la porte était entrouverte. Le cliché est tombé sur les entrailles du chat. Je l'ai regardé sécher et j'ai vu mon visage ahuri se dessiner.

La peur a commencé à m'envahir.

J'ai reculé et je me suis cogné contre la table de cuisine. En me retournant, j'ai aperçu trois perroquets dont les ailes avaient été clouées sur la table. Je me suis penché un peu au-dessus pour lire les affichettes déposées autour des oiseaux et j'ai cru remarquer que l'un d'eux était encore en vie. Ses pattes et son bec remuaient faiblement. Un nom pour chacun des perroquets était inscrit sur les affichettes. En relevant la tête, j'ai vu une caméra vidéo sur une étagère placée à côté de la fenêtre obstruée.

J'ai compris que les visiteurs faisaient partie de l'« exposition ».

J'ai pensé aux personnes que j'avais vues entrer avant moi. Étaient-ce des amateurs d'art complices de ce détraqué ? Des disciples d'une sorte de secte débile, comme se décrivait Sébastien Marchand dans son journal ? À quatre ou cinq contre un, s'ils décidaient de s'en prendre à moi, je ne ferais pas le poids, même armé d'une tige de métal.

C'est alors qu'un cri a déchiré le silence lugubre des lieux. Un mélange de colère et de plainte. J'ai hésité entre m'enfuir et me précipiter pour porter secours. Le hurlement s'est bientôt transformé en sanglots. J'ai avancé de quelques pas et j'ai juste passé la tête au-delà du mur qui séparait la cuisine du salon pour jeter un coup d'œil. Une femme était à genoux, entourée de trois personnes. Elle pleurait devant une toile accrochée au mur. Il n'y avait que du rouge comme couleur. On reconnaissait l'image d'un chien.

— Il a peint mon chien avec son sang ! hoquetait-elle.

Ces gens n'étaient pas des complices, mais des victimes. Comme moi. Le titre de l'exposition prenait son sens. *L'origine du mal.* Le mal qu'on fait, le mal qu'on éprouve, celui qui nous habite… Les chrétiens emploient l'expression « vallée des Larmes » pour parler de leur séjour sur terre. En filmant et en photographiant les « jouets » de ses actes barbares, André Vadeboncœur poursuivait l'expérience du mal dans toutes ses déclinaisons pour atteindre l'absolu. L'artiste en Créateur suprême…

— Crisse de fou ! a hurlé la femme à l'univers.

L'un des hommes a remarqué ma présence et s'est rué vers moi.

— C'est pas moi ! C'est pas moi ! ai-je crié.

— Vous êtes qui ? m'a demandé l'homme.

— Je suis comme vous…

— Vous avez reçu une invitation ?

— Oui. Mais pas à cette adresse.

— Rue Bennet ?

— Oui.

— Nous aussi. Ce matin, il y avait une affiche de l'« exposition », avec l'adresse d'ici.

— Je l'ai vu entrer ici, avant vous.

— Il est où, le sacrament ? a lancé la femme à genoux en se relevant.

— Je le sais pas, ai-je répondu. Caché quelque part à nous épier… Je pense qu'on ferait mieux d'appeler la police.

L'homme qui s'était rué sur moi a acquiescé et a sorti son cellulaire. Il venait à peine de joindre le 9-1-1 lorsqu'une voix a surgi d'un haut-parleur : « La visite n'est pas terminée. Ce serait dommage que vous ratiez le reste... » Nous avons ensuite entendu un claquement. Le bruit provenait de la cuisine. Son téléphone toujours en main, l'homme est allé voir. Il est revenu quelques secondes plus tard.

— On est enfermés.

— Quoi ?

— La porte. Il a barré la porte.

— On défonce, ai-je dit, avant de me diriger vers la cuisine.

Tous m'ont suivi. Par un coin de la fenêtre, nous avons vu un jeune homme au crâne rasé nous faire un signe de la main en souriant, puis s'éloigner. J'ai remarqué un madrier posé devant la fenêtre de la porte. Avec ma tige de métal, j'ai cassé un carreau, puis un autre.

— Aidez-moi à enlever cette grosse planche de là.

Nous étions incapables de la déloger. Quelque chose la bloquait, la maintenait en place.

— Oui, nous sommes au 5668, entendis-je dire l'homme au téléphone. C'est une maison abandonnée.

Soudain, une musique de carnaval sur fond de métal hurlant a retenti d'on ne sait où dans la toute maison. Les lumières se sont mises à clignoter en suivant le rythme. Puis, une voix forte s'est mêlée à ce concert psychédélique.

— Bonjour, mesdames et messieurs. Bienvenus dans mon exposition, *L'origine du mal*. Oui, « dans » mon exposition, car vous aurez compris que vous en faites partie. Je tiens donc à vous remercier.

Il s'est esclaffé.

— Désolé, c'est l'émotion. Depuis le début de ce projet, je vous suis, je vous traque, à la recherche de votre douleur. Je vous ai photographiés, essayant de capturer votre essence. Vous avez tous une chose en commun : vous avez perdu un enfant. C'est ce qui donne à votre visage cette beauté, cette souffrance, que j'ai voulu recréer ici. Les caméras ont capté vos regards devant la présentation de vos animaux que j'ai tués en pensant à chacun de vous, à chaque coup de couteau. Je vous invite donc au deuxième étage, où vous trouverez la pièce de résistance, le clou de l'exposition. Bonne journée et merci encore d'avoir participé à ce projet grandiose dont on parlera sûrement pendant des années. Mais, pour moi, ce n'est que le début !

La musique a cessé. Les lumières sont demeurées éteintes.

Autour de moi, des visages affolés.

Que devions-nous faire ? Nous rendre à l'étage revenait à jouer le jeu d'André Vadeboncœur. Mais avions-nous le choix ? Combien de temps avant que les policiers n'arrivent et nous sortent de là ? Qui savait comment ce détraqué réagirait si nous n'obéissions pas à sa demande ?

— Je sais pas pour vous, mais moi, j'ai pas du tout envie de me retrouver là-haut, face à lui…, dit une des femmes.

— On pourrait se barricader dans la cuisine en attendant les policiers, suggéra celui qui les avait justement appelés.

— Très bien, dis-je en m'emparant d'une barre de fer. Restez ici.

— Mais qu'est-ce que vous faites ?

— Je vais aller le distraire…

— Vous pouvez pas faire ça !

— C'est vrai, vous avez pas besoin de risquer votre vie pour nous, ajouta la femme.

— Je la risque pas pour vous… Je le connais.

— Vous le connaissez ? !

— Disons que je l'ai rencontré une fois. Je crois pas qu'il en ait gardé un bon souvenir… Face à moi, il aura peut-être peur.

— Faites pas le fou, restez avec nous, me pria l'homme.

— Inquiétez-vous pas pour moi. Et s'il m'arrive quelque chose, ne bougez pas d'ici.

— C'est pas nécessaire de jouer au héros. On n'est pas dans un film, là…

— Je sais.

Ils se sont résignés, sans doute soulagés de ne pas avoir à affronter le monstre, avec la conscience tranquille d'avoir au moins essayé de m'en dissuader.

J'ai monté les marches de l'escalier, une par une, l'oreille tendue. Je serrais tellement ma barre de fer que j'en avais mal à la main. En haut, un long corridor s'étirait devant moi, avec quatre portes fermées. Au bout, une porte était entrouverte. Une faible lumière dansante en émanait. Je me suis avancé prudemment, craignant à chaque instant que l'une des portes ne s'ouvre et qu'en surgisse Vadeboncœur.

J'ai jeté un regard à l'intérieur de la pièce. Je ne pouvais apercevoir la source lumineuse. J'ai poussé la porte et j'ai vu un projecteur qui diffusait un film sur un mur blanc, sur lequel des mots étaient inscrits en rouge. Mes mots. Les images étaient insupportables. Vadeboncœur s'était filmé en train de torturer les animaux. Heureusement, il n'y avait pas de son. Quoique ce silence fût remplacé par le vacarme de notre imagination. Sans doute ce qu'il appelait de l'art.

À l'extérieur, j'entendis des sirènes de voitures de police qui se rapprochaient. Cette trame sonore se superposait à la projection muette, exaltant la vision d'horreur.

— C'est magnifique, n'est-ce pas ?

Absorbé dans le cauchemar qui défilait sous mes yeux, je ne l'avais pas entendu arriver. Je me suis retourné vivement, en tenant ma barre de fer à deux mains. André Vadeboncœur me regardait en souriant, un couteau à la main.

— Ce serait dommage de nous battre, vous pensez pas ? Ça gâcherait l'atmosphère.

J'étais pourtant bien décidé à le frapper de toutes mes forces un moment plus tôt, mais maintenant qu'il se tenait devant moi, cette envie me quitta. J'aurais l'impression de me salir.

— La police va arriver bientôt, dis-je.
— D'autres spectateurs ! Tant mieux.
— Pourquoi ?
— Pourquoi quoi ?
— Tout ça.
— Tu n'as pas encore compris ?
— Pas vraiment, non.
— Je te pensais plus intelligent que ça. Plus sensible. Tu es un artiste, pourtant.
— Est-ce que c'est toi qui as enlevé ma fille ?

Il s'est mis à rire. Je ne l'ai pas trouvé drôle. Ça a été plus fort que moi. Il a tenté d'éviter le coup, mais il n'a pas été assez rapide. Je lui ai asséné un coup de barre de fer sur la main qui tenait son couteau. Puis, tout s'est passé très vite. Pendant qu'il se tenait la main blessée, je me suis penché pour ramasser son arme. Il a voulu me frapper avec son pied, mais j'ai attrapé son soulier. Dans le mouvement, il est tombé à la renverse. Je me suis précipité sur lui en plaçant ma barre de fer sur sa gorge.

— Réponds à ma question, hostie de sale !

Le visage empourpré, peinant à respirer, il a secoué la tête.

— Ça veut dire non, ça ?

Il a fait signe que oui.

— Je sais pas ce qui me retient de te tuer.

Tout à coup, j'ai senti des mains se poser sur mes épaules et me tirer vers l'arrière. Surpris, j'ai basculé. Le jeune homme au crâne rasé m'a arraché ma barre de fer. Je ne comprenais pas d'où il sortait. Et je n'ai pas eu le temps d'y réfléchir. Il m'a donné un violent coup de barre de fer dans le ventre. Je me suis tordu de douleur en cherchant mon souffle.

Au même moment, Vadeboncœur s'est relevé.

— Il est beau quand il souffre, hein.
— Comme tu l'avais dit.
— Viens, on va l'amener dans sa chambre.

— Ta pièce maîtresse…

— Oui, ça va être grandiose, Sébastien.

Les deux m'ont agrippé chacun par un bras. J'ai tenté de me débattre, mais Sébastien a proféré des paroles plutôt convaincantes :

— Si tu résistes, je te câlisse un autre coup dans le ventre.

Je me suis donc laissé traîner dans le corridor. J'ai songé à crier pour ameuter les autres restés dans la cuisine, espérant leur aide. Mais je ne me faisais pas d'illusions. Personne n'a vraiment envie de jouer au héros quand il s'agit de risquer sa peau. Si je devais mourir, ils s'en déresponsabiliseraient. Les policiers allaient finir par arriver, et c'était leur travail de sauver les gens. Enfin, en principe.

Une fois dans la pièce qui m'était destinée, ils m'ont lâché sans m'avertir. Ma tête a heurté le sol et j'ai vu des étoiles pendant quelques secondes.

— Couche-toi dans le lit, m'a intimé Sébastien.

Il cognait la barre de fer dans sa paume en souriant.

En me relevant, j'ai remarqué des mots écrits en rouge sur les murs. Mes textes. Partout. Sur le lit, il y avait un ordinateur portable. Quand je me suis assis, le mouvement du matelas l'a fait sortir de son mode veille et un diaporama s'est affiché sur l'écran. Des photos de moi, de Charlotte…

— Envoye, couche-toi ! cria Sébastien en me donnant un coup sur la mâchoire.

J'ai encaissé. Par orgueil. J'ai réprimé des grimaces de douleur.

— Qu'est-ce que vous allez faire de moi ?

— Mais une œuvre d'art, me répondit Vadeboncœur. Ce que tu as toujours été de toute façon. Seulement, il te manquait la magnificence.

Ils ont voulu me forcer à m'étendre sur le lit en appuyant tous les deux sur ma poitrine, mes épaules. Je résistais. Puis, Sébastien a appliqué la barre de fer contre ma gorge. J'étouffais. Je n'ai eu d'autre choix que d'obéir. Sébastien maintenait la pression sur ma pomme d'Adam tandis que Vadeboncœur passait mes bras et mes jambes dans des sangles reliées à la base du lit.

J'étais leur prisonnier.

Couché sur le dos, incapable de bouger, j'ai vu au plafond une immense photo de Charlotte. Enfin, ce qui en restait. Une sorte de collage à la docteur Frankenstein représentait ma fille en lambeaux. Des pattes d'animaux avaient été greffées sur le corps de ma fille. Partout, la peau se décomposait, laissant poindre des os. Des verres blancs sortaient de ce qui avait déjà été ses yeux.

— C'est la réalité, ça, Jean. Ta réalité. Ta fille est morte. Pourrie. Mais tu refuses de la voir en face. Tu rêves. Et l'ordinateur, c'est tes photos, tes souvenirs, tes textes… Mais t'es en train de devenir fou avec tout ça, Jean. C'est pour ça que t'es attaché. Toute cette chambre, c'est ton asile intérieur. Ton agonie. Ta beauté. Et là, il est temps pour toi de rejoindre ton œuvre. La chair de ta chair. Dans l'éternité. Dans le toujours vivant grâce à l'art.

J'étais tétanisé.

Je savais que j'allais mourir.

Vadeboncœur ne voulait pas me libérer de mes souffrances. Il souhaitait m'unir à elles.

À elle.

Charlotte.

Puis, Vadeboncœur a brandi un couteau.

— Je vais y aller lentement. Pour que tu apprécies. La douleur va t'élever. Vers elle.

Avec son couteau, il a lacéré mon chandail, exposant ma peau à sa lame.

— C'est écœurant, André, murmura Sébastien. Ça va être beau.

— Oui. Oublie pas de filmer.

À ce moment, de l'extérieur, un policier s'est adressé à mes agresseurs au moyen d'un porte-voix. André Vadeboncœur a sorti sa tête par la fenêtre et a crié aux forces de l'ordre de venir admirer son exposition. Il est aussitôt revenu vers moi et m'a tailladé la poitrine du côté gauche.

— Le cœur, Jean.

J'ai senti du sang couler sur mon ventre jusque sur ma cuisse.

Samedi 31 juillet

J'étais inconscient lorsque les policiers sont arrivés.

Je me suis réveillé alors que deux ambulanciers s'occupaient de moi. J'avais des pansements à plusieurs endroits. J'ai su après que les policiers avaient été longs à se risquer à l'intérieur. Ils avaient attendu des renforts, puis encerclé la maison. Enfin, les agents de l'escouade tactique étaient entrés dans la cuisine et avaient libéré les « otages » qui s'y étaient réfugiés.

Sur la civière, j'ai aperçu une camionnette d'une station de télévision. Un journaliste parlait en direct devant son caméraman. Et c'est à ce moment que j'ai vu André Vadeboncœur et son acolyte, menottés et flanqués de policiers, passer devant la caméra non loin de moi.

— La gloire, Jean ! On va être célèbres ! hurla Vadeboncœur.

Les policiers sont venus m'interroger à l'hôpital. Vadeboncœur avait déclaré que j'étais son collaborateur… Malgré mes blessures et mon état, ils me traitaient comme un criminel. Du moins, j'en avais l'impression. J'ai dit ce que je savais. Tout. Depuis le début. J'ai eu le sentiment de me libérer d'un lourd fardeau. J'ai pleuré à quelques reprises. Ça n'a pas paru les attendrir.

À un moment, l'enquêteur chargé du dossier de la disparition de ma fille est venu. L'ambiance s'est étrangement allégée.

Comme si sa présence suffisait. Aux yeux de ses collègues, il se portait garant de moi.

Il était tard quand je suis enfin rentré chez moi. J'étais épuisé.
Je me suis servi un verre de porto.
Puis un autre.

Je me suis endormi dans la chambre de Charlotte.

Mardi 3 août

Plus tard, j'ai appris qu'André Vadeboncœur soutenait ne pas avoir kidnappé ma fille. Il affirmait avoir acheté mon ordinateur chez un prêteur sur gages il y a quelques années. Le jeune homme au crâne rasé s'appelait Sébastien Marchand. Comme l'autre qui était mort. Mais celui-là était bien l'auteur du journal que l'éleveur de chiens, Lucien Jeanson, avait découvert chez lui sous un matelas.

André Vadeboncœur aurait commencé à faire une fixation sur moi il y a six ans, à la suite d'une conférence que j'ai donnée au cégep qu'il fréquentait. Charlotte avait disparue depuis peu. J'étais tout le temps abattu. Cette invitation m'était apparue comme une bonne occasion de replonger dans le monde des vivants. Je ne me souviens pas d'André Vadeboncœur, mais je me rappelle que des étudiants avaient posé deux ou trois questions sur ma fille (ça avait paru dans les journaux), sur l'enquête, et demandé si ça allait influencer mon écriture. Ils avaient été délicats. Leur curiosité n'était pas vraiment déplacée. Ils avaient su mettre leurs questions en contexte littéraire, en faisant référence à d'autres artistes ayant vécu des drames semblables. Mais je n'avais pas de réponses à leurs interrogations.

Toutefois, à compter de ce moment, l'esprit tordu de Vadeboncœur s'est enflammé. Aux policiers, il a avoué qu'il avait détesté ma conférence et que la meilleure chose qui ait pu m'arriver était la disparition de ma fille. Selon lui, j'avais peut-être une chance de véritablement m'épanouir en tant qu'artiste grâce à la souffrance.

Le mal.

Sa grande obsession.

Imaginez la révélation divine quand, tout à fait par hasard, il était entré en possession de mon ordinateur. Il avait soudain accès à mes photos de Charlotte, mes textes…

Selon l'enquêteur à qui j'ai parlé, il n'est pas rare que ce genre de commerce n'efface pas le contenu, au contraire. En principe, il n'est que prêté en échange d'argent. Mais le propriétaire n'était jamais venu le récupérer. La boutique n'existe plus. Il a donc été impossible aux policiers de vérifier les dires de Vadeboncœur.

Quand il a appris, dans un quotidien, que j'enquêtais sur les animaux mutilés, je suppose qu'il a dû sauter de joie… J'allais faire partie de son « exposition ». Il martyrisait des animaux pour mieux torturer leurs propriétaires. Avec ma fille et moi, il atteignait un autre niveau de son art. Son seul regret aura sans doute été de ne pas l'avoir kidnappée lui-même…

Le plus étrange, à mes yeux du moins, c'est qu'André Vadeboncœur et Sébastien Marchand voulaient se faire prendre. Dans leur tête de fous, la prison représente une autre étape de leur ascension vers le mal qui les rendra plus grands, plus forts. Ils comptent continuer à créer derrière les barreaux. Il paraît qu'il y a un marché florissant, sur Internet, pour les œuvres de meurtriers célèbres.

Vendredi 6 août

Marcel est sorti de l'hôpital depuis quelques jours. Quand je lui ai parlé de mon « pèlerinage », il a voulu m'accompagner. Après tout, c'était grâce à mon père si nous nous étions rencontrés.

Mon père n'était pas religieux. Il avait demandé à être incinéré. Il n'y avait pas eu de messe. Seulement une cérémonie intime au salon funéraire. J'avais revu de vieux voisins qui avaient lu l'avis de décès dans les journaux.

Je repense à Fernand et à Roger. Ils devaient avoir hâte que ce simulacre se termine pour prendre possession de l'agence de mon père…

Ma mère m'avait demandé de dire quelque chose. En tant qu'auteur de la famille, je suppose qu'elle s'attendait à ce que j'écrive un texte, mais j'ai renoncé. Au lieu de ça, un employé du salon funéraire m'avait donné un document prévu pour ce genre d'occasion. J'avais récité ces mots impersonnels sans grande conviction.

Depuis, j'ai appris à mieux connaître mon père en lisant ses cahiers. J'ai senti un besoin de réparation. Je lui ai pardonné de ne pas m'avoir informé de l'enquête qu'il a conduite pour retrouver Charlotte.

Je sais qu'il a tout essayé.

Moi aussi.

Je ne lui ai pas écrit un beau discours, cette fois non plus. Je lui ai simplement dit que j'allais reprendre son agence. Puis, j'ai enterré mon manuscrit près de sa pierre tombale.

En sortant du cimetière, Marcel m'a demandé si je croyais que mon journal aurait fait un bon livre. Je lui ai répondu que ce n'était pas à moi de décider.

REMERCIEMENTS

Merci à Gil-France, sans qui je n'aurais pas pu discuter de mes idées pour ce roman durant nos longues marches. Sans elle, je n'aurais pas pu écrire.

Merci à Anne-Marie, à qui j'ai envoyé les soixante-quinze premières pages de mon manuscrit et qui a répondu avec enthousiasme à mon angoisse. Sans elle, je ne sais pas si j'aurais continué.